1일 10분

초등 메가 어휘력

초등 3~4학년

4권

자기 주도 학습력을 기르는 **1일 10분** 공부 습관!

☑ 공부가 쉬워지는 힘, 자기 주도 학습력!

자기 주도 학습력은 스스로 학습을 계획하고, 계획한 대로 실행하고, 결과를 평가하는 과정에서 향상됩니다.
이 과정을 매일 반복하여 훈련하다 보면 주체적인 학습이 가능해지며 이는 곧 공부 자신감으로 연결됩니다.

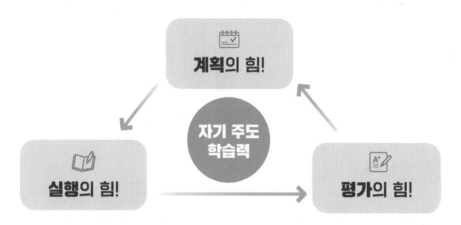

☑ 1일 10분 시리즈의 **3단계 학습 로드맵**

⟨1일 10분⟩ 시리즈는 계획, 실행, 평가하는 3단계 학습 로드맵으로 자기 주도 학습력을 향상시킵니다.
또한 1일 10분씩 꾸준히 학습할 수 있는 **부담 없는 학습량으로 매일매일 공부 습관이 형성됩니다.**

1단계 학습 **계획**하기

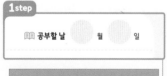

주 단위로 학습 목표를 확인하고 학습할 날짜를 스스로 계획하는 과정에서 자기 주도 학습력이 향상됩니다.

2단계 학습 **실행**하기

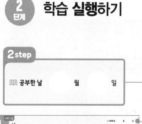

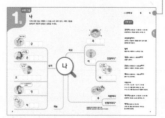

1일 10분 주 5일 매일 일정 분량 학습으로, 초등 학습의 기초를 탄탄하게 잡는 공부 습관이 형성됩니다.

3단계 결과 **평가**하기

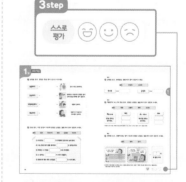

학습을 완료하고 계획대로 실행했는지 스스로 진단하며 성취감과 공부 자신감이 길러집니다.

마인드맵으로 배우는 교과 어휘
초등 메가 어휘력

 첫째! 마인드맵을 활용하여 어휘를 효과적으로 학습합니다.

마인드맵은 영국의 두뇌학자인 토니 부잔(Tony Buzan)이 만든 시각적인 사고 도구(Visual Thinking)로, 좌뇌와 우뇌를 동시에 사용하여 자신의 생각을 지도를 그리듯 이미지화한 것입니다. 전문가들은 마인드맵을 활용하면 어휘를 깊이 있게 이해하고 더 오래 기억할 수 있다고 말합니다. 〈1일 10분 초등 메가 어휘력〉은 주제를 중심으로 어휘 사이의 관계를 이해하고 사고력, 창의력, 기억력을 높여 어휘를 효과적으로 학습할 수 있도록 합니다.

 둘째! 교과 선정 어휘로 구성하여 교과 학습을 도와줍니다.

〈1일 10분 초등 메가 어휘력〉은 초등 교과를 바탕으로 선정한 주제와 그와 관련된 어휘들로 이루어져 있습니다. 교과에서 선정한 어휘를 주제별로 묶어, 주제를 중심으로 어휘를 학습하면서 자연스러운 교과 학습뿐 아니라 교과목을 넘나드는 융합적인 어휘력을 기를 수 있습니다.

 셋째! 다양한 어휘 활동으로 어휘력을 향상시켜 줍니다.

무작정 외우는 학습법으로는 어휘를 다양하게 활용할 수 없습니다. 〈1일 10분 초등 메가 어휘력〉은 어휘와 어휘 사이의 관계를 파악하고 다양한 쓰임새를 학습하도록 구성하였습니다. 학습 어휘를 바탕으로 연상 어휘, 유의어, 반의어, 한자어, 상위어, 하위어, 속담, 관용구, 사자성어 등 다양한 문제를 제공하여 어휘력을 향상시키는 동시에 사고력도 키워 줍니다.

 넷째! 자기 주도적인 공부 습관을 길러 줍니다.

아이 스스로 공부할 수 있도록 이끌어 주려면 아이가 소화할 수 있는 학습량을 제시해 주어야 합니다. 〈1일 10분 초등 메가 어휘력〉은 1일 4쪽 분량으로 아이 혼자서도 부담 없이 재미있게 공부할 수 있도록 구성되어 있습니다. 어휘 그물을 채우고 문제를 푸는 반복적인 과정을 통해 어휘를 익히고, 스스로 어휘 그물을 그려 보며 자기 주도적인 공부 습관을 기를 수 있게 도와줍니다.

이 책의 구성

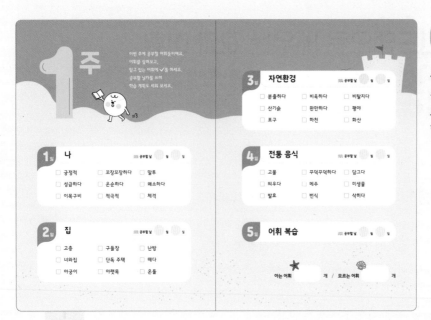

본격적으로 학습하기 전에 주별 학습 어휘 주제를 미리 살펴봅니다. 아는 어휘와 모르는 어휘가 각각 얼마나 되는지 체크합니다.

어휘 그물

어휘의 설명을 읽고, 마인드맵 형식으로 표현한 어휘 그물의 빈칸을 채우며 주제별 어휘를 학습합니다. 어휘 그물의 학습 어휘는 생활과 밀접한 생활 어휘와 초등학교 교과에서 주요하게 다루는 어휘로 선정하였습니다.

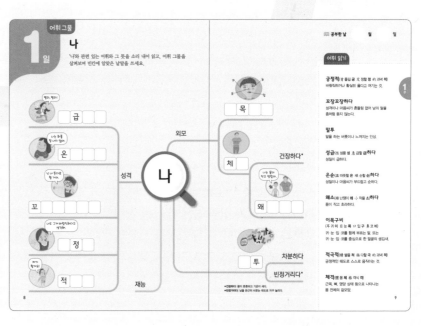

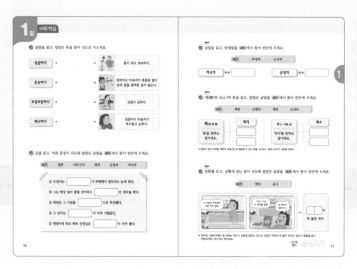

어휘 학습

문장 속에서 어휘를 활용한 문제, 어휘의 뜻을 명확하게 인지하는 문제로 확실하게 어휘를 익힙니다. 학습 어휘를 중심으로 연상 어휘, 비슷한말, 반대말, 포함하는 말, 포함되는 말을 배우며 어휘 간의 관계를 파악하고 어휘의 범위를 확장시킵니다. 속담, 사자성어, 관용구에 대해서도 알아봅니다.

어휘 복습

1~4일에서 학습한 어휘를 교과별로 분류하여 문제를 풀어 봅니다. 앞에서 배운 어휘의 뜻을 제대로 이해했는지 복습하고, 교과별로 새로 나온 어휘도 익혀 봅니다. 주제와 관련 있는 사자성어를 익히며 관련된 이야기도 읽어 봅니다.

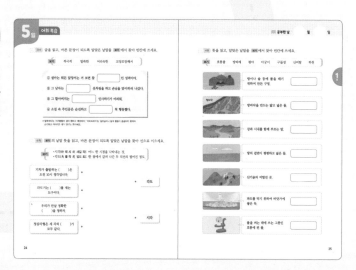

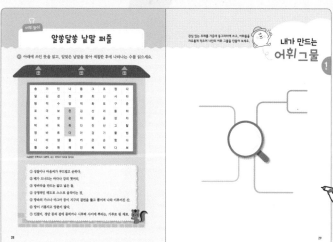

어휘 놀이 + 내가 만드는 어휘 그물

빈 곳에 들어갈 낱말 찾기, 숨어 있는 그림 찾기, 낱말 퍼즐, 빙고 등의 재미있는 놀이로 학습 어휘를 확인합니다. 관심 있는 주제와 관련 어휘들을 자유롭게 적어 나만의 어휘 그물도 만들어 봅니다.

이번 주에 공부할 어휘들이에요.
어휘를 살펴보고,
알고 있는 어휘에 ✔를 하세요.
공부할 날짜를 쓰며
학습 계획도 세워 보세요.

1일 나

📖 공부할 날 　월 　일

- ☐ 긍정적
- ☐ 꼬장꼬장하다
- ☐ 말투
- ☐ 성급하다
- ☐ 온순하다
- ☐ 왜소하다
- ☐ 이목구비
- ☐ 적극적
- ☐ 체격

2일 집

📖 공부할 날 　월 　일

- ☐ 고층
- ☐ 구들장
- ☐ 난방
- ☐ 너와집
- ☐ 단독 주택
- ☐ 때다
- ☐ 아궁이
- ☐ 아랫목
- ☐ 온돌

3일 자연환경

- ☐ 분출하다
- ☐ 비옥하다
- ☐ 비탈지다
- ☐ 산기슭
- ☐ 완만하다
- ☐ 평야
- ☐ 포구
- ☐ 하천
- ☐ 화산

4일 전통 음식

- ☐ 고물
- ☐ 꾸덕꾸덕하다
- ☐ 담그다
- ☐ 띄우다
- ☐ 메주
- ☐ 미생물
- ☐ 발효
- ☐ 번식
- ☐ 삭히다

5일 어휘 복습

⭐ 아는 어휘   개 / 🐚 모르는 어휘   개

1일

나

'나'와 관련 있는 어휘와 그 뜻을 소리 내어 읽고, 어휘 그물을
살펴보며 빈칸에 알맞은 낱말을 쓰세요.

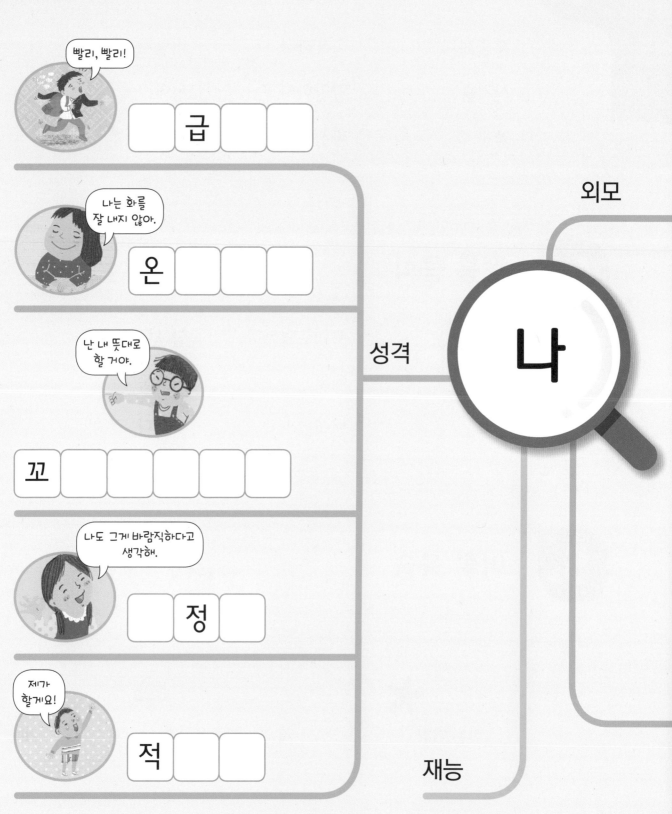

빨리, 빨리!

□ 급 □ □

나는 화를
잘 내지 않아.

온 □ □ □

난 내 뜻대로
할 거야.

꼬 □ □ □ □ □

나도 그게 바람직하다고
생각해.

□ 정 □

제가
할게요!

적 □ □

외모

성격

나

재능

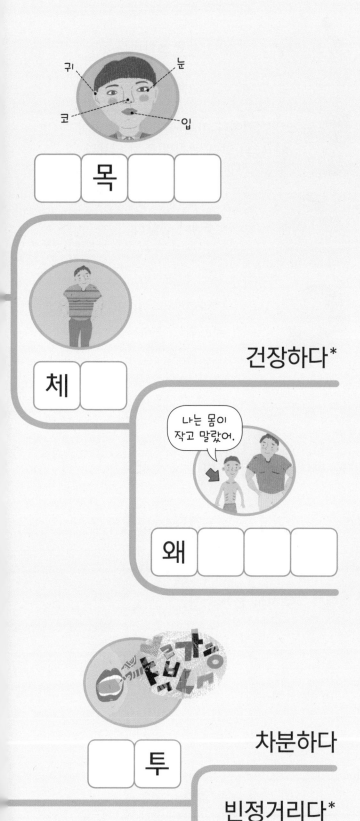

귀　　눈

코　　입

| | 목 | | |

체 |

나는 몸이 작고 말랐어.

건장하다*

| 왜 | | | |

| | 투 |

차분하다

빈정거리다*

*건장하다: 몸이 튼튼하고 기운이 세다.
*빈정거리다: 남을 은근히 비웃는 태도로 자꾸 놀리다.

어휘 읽기

긍정적(肯 즐길 **긍** 定 정할 **정** 的 과녁 **적**)
바람직하거나 확실히 옳다고 여기는 것.

꼬장꼬장하다
성격이나 마음씨가 흔들림 없어 남의 말을
좀처럼 듣지 않는다.

말투
말을 하는 버릇이나 느껴지는 인상.

성급(性 성품 **성** 急 급할 **급**)**하다**
성질이 급하다.

온순(溫 따뜻할 **온** 順 순할 **순**)**하다**
성질이나 마음씨가 부드럽고 순하다.

왜소(矮 난쟁이 **왜** 小 작을 **소**)**하다**
몸이 작고 초라하다.

이목구비
(耳 귀 **이** 目 눈 **목** 口 입 **구** 鼻 코 **비**)
귀·눈·입·코를 함께 부르는 말. 또는
귀·눈·입·코를 중심으로 한 얼굴의 생김새.

적극적(積 쌓을 **적** 極 다할 **극** 的 과녁 **적**)
긍정적인 태도로 스스로 움직이는 것.

체격(體 몸 **체** 格 격식 **격**)
근육, 뼈, 영양 상태 등으로 나타나는
몸 전체의 겉모양.

1
주

✏️ 낱말을 읽고, 알맞은 뜻을 찾아 선으로 이으세요.

글을 읽고, 바른 문장이 되도록 알맞은 낱말을 보기 에서 찾아 빈칸에 쓰세요.

보기	말투	이목구비	체격	긍정적	적극적

① 수진이는 [   ]가 뚜렷해서 멀리서도 눈에 띈다.

② 그는 항상 일이 잘될 것이라고 [   ]인 생각을 한다.

③ 회장은 그 사업을 [   ]으로 추진했다.

④ 그 남자는 [   ]가 아주 거칠었다.

⑤ 현영이네 학교 체육 선생님은 [   ]이 아주 좋다.

<u>반의어</u>

✎ 낱말을 읽고, 반대말을 보기 에서 찾아 빈칸에 쓰세요.

보기   부정적   소극적

| 적극적 | ↔ | |

| 긍정적 | ↔ | |

<u>한자어</u>

✎ '체(體)'와 '소(小)'의 뜻을 읽고, 알맞은 낱말을 보기 에서 찾아 빈칸에 쓰세요.

보기   체중   소형차   체력   소규모

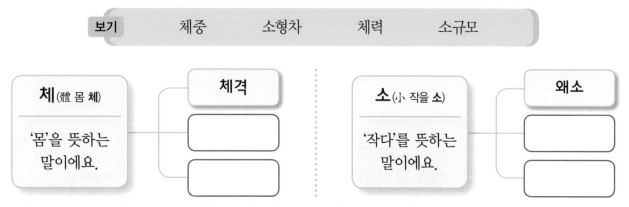

체 (體 몸 체)

'몸'을 뜻하는 말이에요.

체격

소 (小 작을 소)

'작다'를 뜻하는 말이에요.

왜소

* '체중'은 '몸의 무게'를, '체력'은 '몸을 움직여 활동할 수 있는 힘'을, '소규모'는 '범위나 크기가 작음'을 뜻해요.

<u>관용구</u>

✎ 만화를 보고, 상황에 맞는 말이 되도록 알맞은 낱말을 보기 에서 찾아 빈칸에 쓰세요.

보기   변덕   음식

나, 마음이 바뀌었어. 다른 과자 살래.

아냐, 그냥 이 과자를 살래.

넌 변덕이 심하구나.

→ ☐☐이 죽 끓듯 하다

▶ '변덕'은 '이랬다저랬다 잘 변하는 태도나 성질'을 말하는 것으로, 관용구 '변덕이 죽 끓듯 하다'는 '말이나 행동을 몹시 이랬다저랬다 하다'라는 뜻이에요.

스스로 평가 😄 🙂 🙁

2일

집

'집'과 관련 있는 어휘와 그 뜻을 소리 내어 읽고, 어휘 그물을 살펴보며 빈칸에 알맞은 낱말을 쓰세요.

너 □ □

한옥

기와집

단 □ 주 □

편하다

양옥

아파트

□ 층

방바닥

구 □ □

방

□ 랫 □

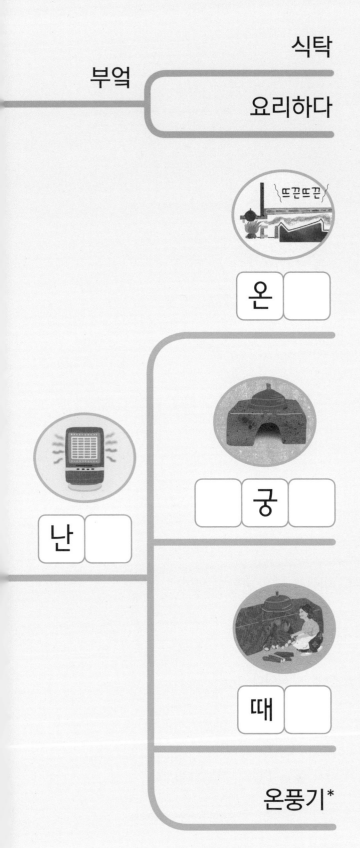

부엌

식탁

요리하다

온[　]

[　]궁[　]

난[　]

때[　]

온풍기*

*온풍기: 따뜻해진 공기를 돌게 하여 방 안의 온도를 높이는 기구.

어휘 읽기

고층(高 높을 고 層 층 층)
건물의 층수가 많은 것.

구들장
방바닥을 만드는 얇고 넓은 돌.

난방(暖 따뜻할 난 房 방 방)
실내의 온도를 높여 따뜻하게 하는 일.

너와집
너와(나뭇조각이나 얇은 돌 조각)로 지붕을
올린 집.

단독 주택
(單 홀 단 獨 홀로 독 住 살 주 宅 집 택)
한 채씩 따로 지은 집.

때다
아궁이 등에 불을 붙여 타게 하다.

아궁이
방이나 솥 등에 불을 때기 위하여 만든
구멍.

아랫목
온돌방에서 아궁이 가까운 쪽의 방바닥.

온돌(溫 따뜻할 온 突 갑자기 돌)
불 기운이 방 밑을 통과하여 방을 따뜻하게
하는 장치.

1주

✍️ 뜻을 읽고, 알맞은 낱말을 보기 에서 찾아 빈칸에 쓰세요.

| 보기 | 구들장 | 아랫목 | 너와집 | 아궁이 |

방이나 솥 등에 불을 때기 위하여 만든 구멍.

방바닥을 만드는 얇고 넓은 돌.

너와(나뭇조각이나 얇은 돌 조각)로 지붕을 올린 집.

온돌방에서 아궁이 가까운 쪽의 방바닥.

✍️ 글을 읽고, 바른 문장이 되도록 알맞은 낱말을 찾아 ◯ 하세요.

① 우리 집은 (아파트, 단독 주택)이어서 넓은 마당이 있어.

② 이 방은 (난방, 냉방)이 되지 않아 겨울엔 매우 춥다.

③ (온돌, 호롱불)은 우리 전통의 난방 방식이다.

④ 대도시에는 높게 솟은 (황토, 고층) 건물이 매우 많다.

⑤ 할머니는 불씨가 없는 아궁이에 다시 불을 (땠다, 부었다).

연상 어휘

🖊 그림을 보고, 떠오르는 낱말을 보기 에서 찾아 빈칸에 쓰세요.

보기　　　지피다　　　땔감

아궁이

＊'지피다'는 '아궁이나 화덕 등에 땔나무를 넣어 불을 붙이다'라는 뜻이에요.

유의어 · 반의어

🖊 낱말을 읽고, 낱말의 뜻이 서로 비슷하면 '＝'를, 반대이면 '↔'를 ◯ 안에 쓰세요.

| 아랫목 | ◯ | 윗목 |

| 고층 | ◯ | 저층 |

| 난방 | ◯ | 냉방 |

| 단독 주택 | ◯ | 독립 주택 |

한자어

🖊 '고(高)'와 '온(溫)'의 뜻을 읽고, 알맞은 낱말을 보기 에서 찾아 빈칸에 쓰세요.

보기　　　온수　　　고속　　　고랭지　　　온도계

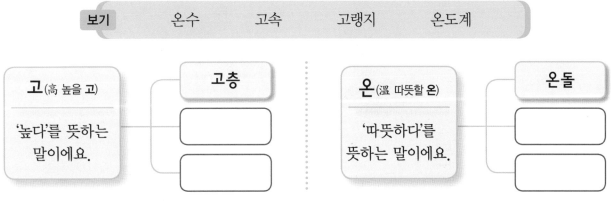

고(高 높을 고)

'높다'를 뜻하는 말이에요.

고층

온(溫 따뜻할 온)

'따뜻하다'를 뜻하는 말이에요.

온돌

＊'고속'은 '매우 빠른 속도'를, '고랭지'는 '높고 날씨가 추운 곳'을 뜻해요.

스스로 평가 😄 🙂 😟

3일

자연환경

'자연환경'과 관련 있는 어휘와 그 뜻을 소리 내어 읽고, 어휘 그물을 살펴보며 빈칸에 알맞은 낱말을 쓰세요.

완◻◻◻

◻탈◻◻

◻◻슭

산

자연환경

위험하다

화◻

화산재*

분◻◻◻

용암*

*용암: 화산의 분화구에서 분출된 마그마.

*화산재: 화산에서 분출된 용암의 부스러기 가운데 크기가 작은 알갱이.

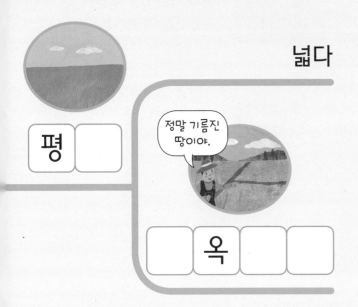

□ 천

넓다

평 □

정말 기름진 땅이야.

□ 옥 □ □

등대

바다

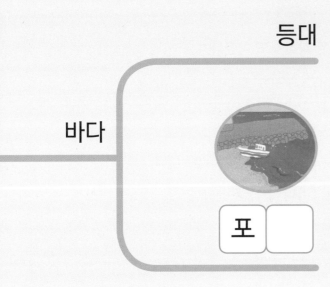

포 □

어휘 읽기

1
주

분출(噴 뿜을 분 出 나갈 출)**하다**
액체나 기체 상태의 물질이 세차게
솟아올라 뿜어져 나오다.

비옥(肥 살찔 비 沃 기름질 옥)**하다**
땅이 기름지고 양분이 많다.

비탈지다
몹시 가파르게 기울어져 있다.

산(山 산 산)**기슭**
산의 기울어진 부분이 끝나는 아랫부분.

완만(緩 느릴 완 慢 거만할 만)**하다**
경사가 급하지 않다.

평야(平 평평할 평 野 들 야)
땅의 겉면이 평평하고 넓은 들.

포구(浦 개 포 口 입 구)
배가 드나드는 바다나 강의 첫머리.

하천(河 물 하 川 내 천)
강과 시내를 함께 부르는 말.

화산(火 불 화 山 산 산)
땅속의 가스나 마그마 등이 지구의
겉면을 뚫고 뿜어져 나와 이루어진 산.

✏️ 낱말을 읽고, 알맞은 뜻을 찾아 선으로 이으세요.

평야	•		•	땅의 겉면이 평평하고 넓은 들.
산기슭	•		•	배가 드나드는 바다나 강의 첫머리.
하천	•		•	산의 기울어진 부분이 끝나는 아랫부분.
포구	•		•	강과 시내를 함께 부르는 말.

✏️ 글을 읽고, 바른 문장이 되도록 알맞은 낱말을 보기 에서 찾아 빈칸에 쓰세요.

보기　　비옥하구나　　완만하다　　분출했다　　비탈진　　화산

① [　　　　　] 이 폭발할 때 많은 화산재도 나온다.

② 농사가 잘된 걸 보니, 여기 토지가 [　　　　　].

③ 콜라병을 흔들고 나서 뚜껑을 열자 콜라가 마구 [　　　　　].

④ 몹시 [　　　　　] 산길을 오르자니 숨이 차올랐다.

⑤ 산세가 험하지 않고 [　　　　　].

＊'산세'는 '산이 생긴 모양'을 뜻해요.

✎ 낱말을 읽고, 비슷한말을 보기 에서 찾아 빈칸에 쓰세요.

| 보기 | 기름지다 | 뿜다 | 내 | 경사지다 |

비탈지다 = ⬜   **하천** = ⬜

비옥하다 = ⬜   **분출하다** = ⬜

＊'내'는 '시내보다는 크지만 강보다는 작은 물줄기'를 뜻해요.

동음이의어

✎ 글을 읽고, 밑줄 친 낱말의 뜻을 보기 에서 찾아 빈칸에 알맞은 기호를 쓰세요.

보기
㉠ 완만(婉 순할 완 娩 낳을 만)하다: 태도가 온순하고 부드럽다.
㉡ 완만(緩 느릴 완 晚 늦을 만)하다: 일이 되어 가는 속도가 늦다.
㉢ 완만(緩 느릴 완 慢 거만할 만)하다: 경사가 급하지 않다.

① 그 친구는 성격이 **완만해서** 친구들과 잘 지낸다. ········ ⬜

② 골짜기에 이르자 **완만한** 평지가 나왔다. ············· ⬜

③ 공사가 매우 **완만하게** 진행되고 있다. ············· ⬜

한자어

✎ '화(火)'와 '분(噴)'의 뜻을 읽고, 알맞은 낱말을 보기 에서 찾아 빈칸에 쓰세요.

| 보기 | 화재 | 분무기 | 화력 | 분수 |

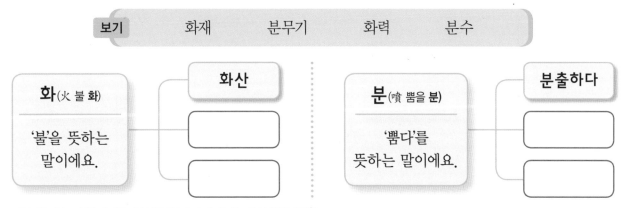

화(火 불 화)
＇불＇을 뜻하는
말이에요.

화산

분(噴 뿜을 분)
＇뿜다＇를
뜻하는 말이에요.

분출하다

＊'화재'는 '불로 인한 재난'을, '화력'은 '불이 탈 때 생기는 열의 힘'을 뜻해요.

전통 음식

'전통 음식'과 관련 있는 어휘와 그 뜻을 소리 내어 읽고, 어휘 그물을 살펴보며 빈칸에 알맞은 낱말을 쓰세요.

담 ☐ ☐

김치

미 ☐ ☐

☐ 효

☐ 식

전통 음식

엿기름*

식혜

삭 ☐ ☐

20

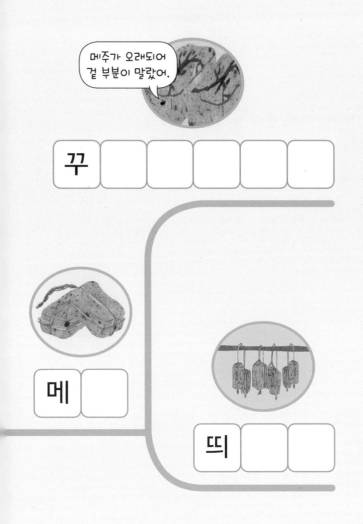

꾸 □ □ □ □ □

메주가 오래되어 겉 부분이 말랐어.

메 □

띄 □ □

무지개떡

떡

가루를 묻히자.

고 □

*엿기름: 보리에 물을 부어 싹이 트게 한 다음에 말린 것.

어휘 읽기

고물
인절미, 경단 등의 겉에 묻히거나 시루떡 사이에 뿌리는, 가루로 된 재료.

꾸덕꾸덕하다
물기 있는 물체의 겉 부분이 조금 마르거나 얼어서 꽤 굳어 있다.

담그다
김치, 젓갈 등을 만드는 재료를 버무려서 익도록 그릇에 넣어 두다.

띄우다
밀이나 찐 콩 등을 굵게 갈아 반죽한 덩이나 메주 등을 발효시키다.

메주
삶은 콩을 찧은 다음, 뭉쳐서 띄워 말린 것.

미생물(微 작을 미 生 날 생 物 물건 물)
눈으로는 볼 수 없는 아주 작은 생물.

발효(醱 술 괼 발 酵 삭힐 효)
미생물의 작용으로 알콜이나 탄산 가스 등이 만들어지는 것.

번식(繁 번성할 번 殖 불릴 식)
분량이나 수가 많아지고 늘어서 많이 퍼짐.

삭히다
김치나 젓갈 등의 음식물이 발효되어 맛이 들게 하다.

1주

✍️ 낱말이나 뜻을 읽고, 알맞은 낱말을 보기 에서 찾아 빈칸에 쓰세요.

| 보기 | 띄우다 | 콩 | 담그다 | 발효 |

① 메주: 삶은 [   ]을 찧은 다음, 뭉쳐서 띄워 말린 것.

② [   ] : 김치, 젓갈 등을 만드는 재료를 버무려서 익도록 그릇에 넣어 두다.

③ [   ] : 밀이나 찐 콩 등을 굵게 갈아 반죽한 덩이나 메주 등을 발효시키다.

④ 삭히다: 김치나 젓갈 등의 음식물이 [   ]되어 맛이 들게 하다.

✍️ 글을 읽고, 바른 문장이 되도록 알맞은 낱말을 찾아 ◯ 하세요.

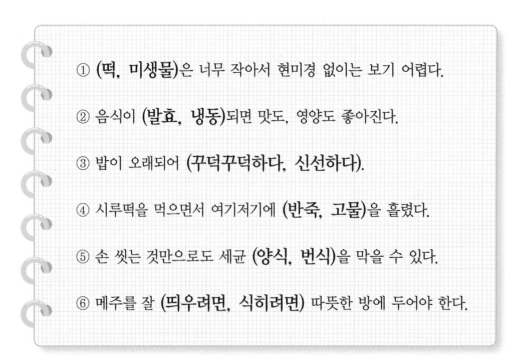

① (떡, 미생물)은 너무 작아서 현미경 없이는 보기 어렵다.

② 음식이 (발효, 냉동)되면 맛도, 영양도 좋아진다.

③ 밥이 오래되어 (꾸덕꾸덕하다, 신선하다).

④ 시루떡을 먹으면서 여기저기에 (반죽, 고물)을 흘렸다.

⑤ 손 씻는 것만으로도 세균 (양식, 번식)을 막을 수 있다.

⑥ 메주를 잘 (띄우려면, 식히려면) 따뜻한 방에 두어야 한다.

동음이의어

✍ ( ) 안에 똑같이 들어갈 낱말의 알맞은 뜻을 찾아 선으로 이으세요.

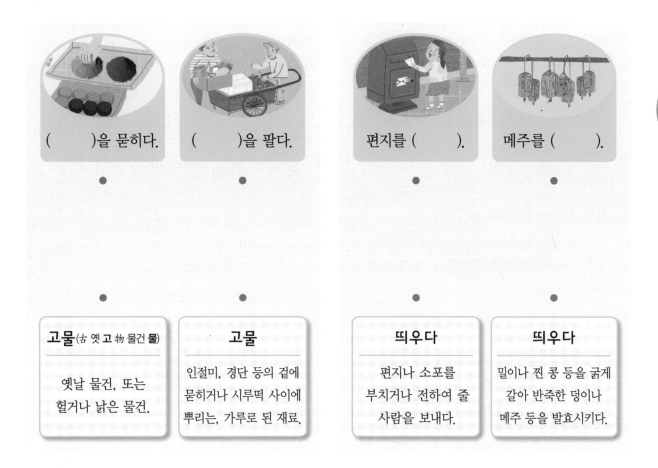

( )을 묻히다.

( )을 팔다.

편지를 ( ).

메주를 ( ).

고물(古 옛 고 物 물건 물)

옛날 물건, 또는
헐거나 낡은 물건.

고물

인절미, 경단 등의 겉에
묻히거나 시루떡 사이에
뿌리는, 가루로 된 재료.

띄우다

편지나 소포를
부치거나 전하여 줄
사람을 보내다.

띄우다

밀이나 찐 콩 등을 굵게
갈아 반죽한 덩이나
메주 등을 발효시키다.

속담

✍ 만화를 보고, 상황에 맞는 말이 되도록 알맞은 낱말을 보기 에서 찾아 빈칸에 쓰세요.

보기   메주   고물

내일 윤아가 달리기 대회에 나간대요.

떨려서 넘어지진 않겠죠?

별 걱정을 다 하네.

남 떡 먹는데
팥 ☐☐
떨어지는
걱정 한다

▶ 속담 '남 떡 먹는데 팥고물 떨어지는 걱정 한다'는 '남의 일에 쓸데없이 걱정 한다'는 뜻이에요.

스스로 평가 😄 🙂 😟

국어 글을 읽고, 바른 문장이 되도록 알맞은 낱말을 보기 에서 찾아 빈칸에 쓰세요.

보기   적극적   멀쑥한   어리숙한   꼬장꼬장해서

① 설아는 뭐든 앞장서는 거 보면 참 [   ]인 성격이야.

② 그 남자는 [   ] 옷차림을 하고 손님을 맞이하러 나갔다.

③ 그 할아버지는 [   ] 인사하기가 어려워.

④ 소설 속 주인공은 순진하고 [   ] 척 행동했다.

＊'멀쑥하다'는 '지저분함이 없이 훤하고 깨끗하다', '어리숙하다'는 '겉모습이나 말과 행동이 꼼꼼하지 못하여 순진하고 어리석은 데가 있다'는 뜻이에요.

수학 보기 의 낱말 뜻을 읽고, 바른 문장이 되도록 알맞은 낱말을 찾아 선으로 이으세요.

보기
• 시각(時 때 시 刻 새길 각): 어느 한 시점을 나타내는 것.
• 각도(角 뿔 각 度 법도 도): 한 점에서 갈려 나간 두 직선의 벌어진 정도.

기차가 출발하는 (   )은 오전 10시 정각입니다.

각도기는 (   )를 재는 도구이다.

• 각도

우리가 만날 정확한 (   )을 정하자.

정삼각형은 세 각의 (   )가 모두 같다.

• 시각

📖 사회 뜻을 읽고, 알맞은 낱말을 보기 에서 찾아 빈칸에 쓰세요.

보기　호롱불　　방파제　　평야　　아궁이　　구들장　　산비탈　　하천

방이나 솥 등에 불을 때기
위하여 만든 구멍.

방바닥을 만드는 얇고 넓은 돌.

강과 시내를 함께 부르는 말.

땅의 겉면이 평평하고 넓은 들.

산기슭의 비탈진 곳.

파도를 막기 위하여 바닷가에
쌓은 둑.

불을 켜는 데에 쓰는 그릇인
호롱에 켠 불.

과학 낱말을 읽고, 알맞은 뜻을 찾아 선으로 이으세요.

화산 •

분화구 •

마그마 •

• 땅속의 가스나 마그마 등이 지구의 겉면을 뚫고 뿜어져 나와 이루어진 산.

• 땅속 깊은 곳의 암석이 지구의 열로 녹아 액체처럼 된 것.

• 용암과 화산 가스 등이 분출하는 구멍.

과학 글을 읽고, 바른 문장이 되도록 알맞은 낱말을 보기 에서 찾아 빈칸에 쓰세요.

보기　비옥한　감각　온난화　번식　용암　지진

① 파충류는 알을 낳아 [　　　　] 합니다.

② 곡식은 [　　　　] 땅에서 잘 자랍니다.

③ 큰 [　　　　] 이 나서 수많은 집이 무너지고 땅이 갈라졌다.

④ 지구 [　　　　] 로 인하여 빙하가 점점 녹고 있습니다.

⑤ 남태평양의 한 섬에서 화산이 폭발하여 지금까지도 화산재와 [　　　　] 이 분출되고 있다고 한다.

⑥ 우리는 다양한 [　　　　] 을 통하여 물체의 형태와 특징을 알 수 있다.

*'감각'은 '눈, 코, 입, 귀, 혀, 살갗을 통하여 바깥의 어떤 자극을 알아차림'을, '온난화'는 '지구의 기온이 높아지는 것'을, '지진'은 '땅이 흔들리는 일'을 뜻해요.

'삼고초려'에 대한 글을 읽고, 물음에 답하세요.

삼고초려(三顧草廬)

'삼고초려'는 '三(셋 삼)', '顧(돌아볼 고)', '草(풀 초)', '廬(오두막 려)'의 한자를 쓰는데, '초려'는 초가집을 뜻하지요. 재주가 뛰어난 사람을 맞아들이기 위해 참을성 있게 노력한다는 뜻으로, 중국 삼국 시대에 촉한의 유비가 난양에 숨어 살던 제갈량의 초가집으로 세 번이나 찾아갔다는 데서 유래한 말입니다. 유비는 관우와 장비 같은 훌륭한 장수가 옆에 있었음에도 불구하고 계속해서 전쟁에서 지고 있었어요. 그 까닭이 무엇인지 고민하던 유비는 자신의 곁에 유능한 참모*가 없음을 깨닫고 재주가 뛰어난 사람을 찾다가 제갈량을 알게 됩니다. 유비는 제갈량을 찾아가 자신의 참모가 되어 달라고 부탁했지만 제갈량은 계속 거절을 했어요. 하지만 유비는 포기하지 않았고, 제갈량을 세 번째로 찾아간 날 비로소 제갈량의 마음을 얻을 수 있었답니다.

*참모: 윗사람을 도와 어떤 일을 꾀하고 꾸미는 사람.

1. '재주가 뛰어난 사람을 맞아들이기 위해 노력한다'를 뜻하는 사자성어를 빈칸에 쓰세요.

2. '삼고초려'의 뜻을 생각하며, '삼고초려'가 들어간 짧은 글짓기를 하세요.

알쏭달쏭 낱말 퍼즐

💡 아래에 쓰인 뜻을 읽고, 알맞은 낱말을 찾아 색칠한 후에 나타나는 수를 읽으세요.

송	가	민	나	동	그	조	정	다
알	김	검	천	분	최	산	사	타
탕	적	수	양	적	화	포	구	준
포	극	보	온	김	산	리	들	하
도	적	장	순	자	랑	공	장	차
박	비	옥	하	다	진	산	고	탈
명	바	류	다	아	검	가	물	범
다	미	생	물	카	온	순	항	다
황	순	원	해	진	복	박	다	보

*낱말은 왼쪽에서 오른쪽, 또는 위에서 아래로 있어요.

① 성질이나 마음씨가 부드럽고 순하다.

② 배가 드나드는 바다나 강의 첫머리.

③ 방바닥을 만드는 얇고 넓은 돌.

④ 긍정적인 태도로 스스로 움직이는 것.

⑤ 땅속의 가스나 마그마 등이 지구의 겉면을 뚫고 뿜어져 나와 이루어진 산.

⑥ 땅이 기름지고 양분이 많다.

⑦ 인절미, 경단 등의 겉에 묻히거나 시루떡 사이에 뿌리는, 가루로 된 재료.

관심 있는 주제를 가운데 동그라미에 쓰고, 어휘들을
자유롭게 적으며 나만의 어휘 그물을 만들어 보세요.

내가 만드는
어휘 그물

1
주

이번 주에 공부할 어휘들이에요.
어휘를 살펴보고,
알고 있는 어휘에 ✔를 하세요.
공부할 날짜를 쓰며
학습 계획도 세워 보세요.

1일 언어

📖 공부할 날 　　월　　일

- ☐ 높임말
- ☐ 문단
- ☐ 문장
- ☐ 방언
- ☐ 소통하다
- ☐ 수화
- ☐ 예사말
- ☐ 점자
- ☐ 표준어

2일 고장

📖 공부할 날 　　월　　일

- ☐ 교류
- ☐ 드나들다
- ☐ 어우러지다
- ☐ 어우렁더우렁
- ☐ 중심지
- ☐ 촌락
- ☐ 특산물
- ☐ 혼잡하다
- ☐ 화합하다

3일 물질

📖 공부할 날 　월　　일

- ☐ 고체
- ☐ 기체
- ☐ 물체
- ☐ 수증기
- ☐ 액체
- ☐ 유연하다
- ☐ 증발
- ☐ 탄력적
- ☐ 투명하다

4일 교통과 통신

📖 공부할 날 　월　　일

- ☐ 뗏목
- ☐ 봉수
- ☐ 이동하다
- ☐ 인력거
- ☐ 인터넷
- ☐ 전하다
- ☐ 쾌속선
- ☐ 파발
- ☐ 화상

5일 어휘 복습

📖 공부할 날 　월　　일

아는 어휘 　　개 / 모르는 어휘 　　개

1일

언어

'언어'와 관련 있는 어휘와 그 뜻을 소리 내어 읽고, 어휘 그물을 살펴보며 빈칸에 알맞은 낱말을 쓰세요.

상대에 따라

점☐

문자

낱말

한글

수단에 따라

언어

나는 사과를 좋아해요.

☐장

음성

나는 사과를 좋아해요. 나가 제일 좋아하는 과일이에요. 그래서 매일 한 개 사과를 먹지요.
나 동생은 바나나를 좋아해요. 동생은 바나나가 제일 맛있대요. 그래서 동생은 매일 바나나를 먹어요.

☐단

손짓으로 말하는 거야.

수☐

지역에 따라

2
주

높임말
사람이나 사물을 높여서 부르는 말.

문단(文 글월 문 段 층계 단)
글에서 하나로 묶을 수 있는 짤막한 단위.

문장(文 글월 문 章 글 장)
생각이나 감정을 말과 글로 표현할 때
완전하게 끝을 맺은 내용을 나타내는 단위.

방언(方 모 방 言 말씀 언)
어느 한 지방에서만 쓰는, 표준어가 아닌 말.

소통(疏 소통할 소 通 통할 통)하다
오해가 없이 뜻이 서로 통하다.

수화(手 손 수 話 말씀 화)
청각 장애인과 언어 장애인들이 몸짓이나
손짓으로 생각을 표현하여 전달하는 방법.

예사말
높이거나 낮추는 말이 아닌 보통 말.

점자(點 점 점 字 글자 자)
시각 장애인이 손가락으로 더듬어 읽도록
만든 문자.

표준어(標 표할 표 準 준할 준 語 말씀 어)
한 나라에서 공식적으로 쓰는 언어.

✏️ 낱말을 읽고, 알맞은 뜻을 찾아 선으로 이으세요.

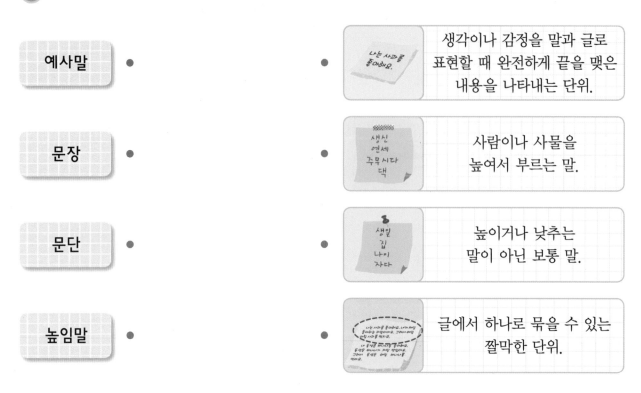

예사말 ●		● 생각이나 감정을 말과 글로 표현할 때 완전하게 끝을 맺은 내용을 나타내는 단위.
문장 ●		● 사람이나 사물을 높여서 부르는 말.
문단 ●		● 높이거나 낮추는 말이 아닌 보통 말.
높임말 ●		● 글에서 하나로 묶을 수 있는 짤막한 단위.

✏️ 글을 읽고, 바른 문장이 되도록 알맞은 낱말을 보기 에서 찾아 빈칸에 쓰세요.

보기   수화   방언   점자   표준어   소통한다

① 소리를 듣지 못하는 내 여동생은 [   ]로 생각을 표현한다.

② 동물들은 울음소리나 몸짓 등 여러 가지 방법으로 서로 [   ].

③ 제주도 [   ]은 표준어와 많이 달라서 알아듣기 어렵다.

④ 앞을 보지 못하는 그 남자는 손가락으로 [   ]를 읽었다.

⑤ 아나운서들은 사투리가 아닌 [   ]를 사용한다.

✏️ 낱말을 읽고, 낱말의 뜻이 서로 비슷하면 '='를, 반대이면 '↔'를 ○ 안에 쓰세요.

| 높임말 | ○ | 존댓말 | | 방언 | ○ | 사투리 |
| 수화 | ○ | 손짓말 | | 높임말 | ○ | 반말 |

상위어 · 하위어

✏️ 낱말을 읽고, 알맞은 낱말을 보기 에서 찾아 빈칸에 쓰세요.

보기   문자   수화

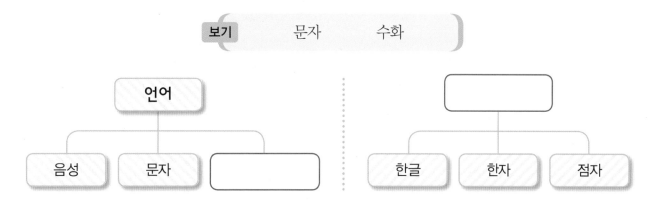

속담

✏️ 만화를 보고, 상황에 맞는 말이 되도록 알맞은 낱말을 보기 에서 찾아 빈칸에 쓰세요.

보기   씨   해

▶ 속담 '말이 씨가 된다'는 '늘 말하던 것이 마침내 사실대로 되었다'는 뜻이에요.

스스로 평가 😄 ☺️ 😞

2일

고장

'고장'과 관련 있는 어휘와 그 뜻을 소리 내어 읽고, 어휘 그물을 살펴보며 빈칸에 알맞은 낱말을 쓰세요.

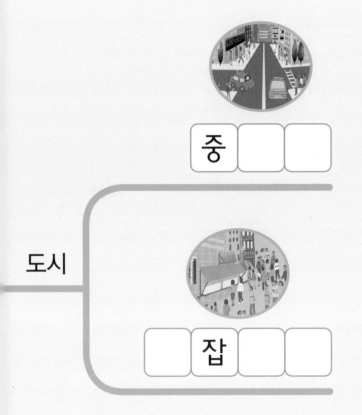

중 ☐ ☐

도시

☐ 잡 ☐ ☐

버스

터미널

드 ☐ ☐ ☐

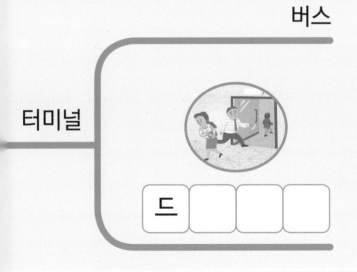

특 ☐ ☐

2
주

어휘 읽기

교류(交 사귈 교 流 흐를 류)
문화나 의견, 생각 등이 서로 통함.

드나들다
어떤 곳에 많은 것들이 들어가고
나오고 하다.

어우러지다
여럿이 잘 어울리거나 섞이다.

어우렁더우렁
여러 사람들과 어울려 들떠서 지내는 모양.

중심지(中 가운데 중 心 마음 심 地 땅 지)
어떤 일이나 활동의 중심이 되는 곳.

촌락(村 마을 촌 落 떨어질 락)
여러 집이 모여 사는 시골의 작은 마을.

특산물
(特 특별할 특 産 낳을 산 物 물건 물)
어떤 지역에서 생산되어 나오는
특별한 물건.

혼잡(混 섞을 혼 雜 섞일 잡)**하다**
여럿이 한데 뒤섞이어 어수선하다.

화합(和 화할 화 合 합할 합)**하다**
화목하게 어울리다.

✎ 뜻을 읽고, 알맞은 낱말을 보기 에서 찾아 빈칸에 쓰세요.

보기　　교류　　촌락　　특산물　　중심지

어떤 일이나 활동의 중심이 되는 곳.

문화나 의견, 생각 등이 서로 통함.

어떤 지역에서 생산되어 나오는 특별한 물건.

여러 집이 모여 사는 시골의 작은 마을.

✎ 글을 읽고, 바른 문장이 되도록 알맞은 낱말을 찾아 ○ 하세요.

① 동네에 수상한 사람이 자꾸 (줄어드는, 드나드는) 것 같아 불안하다.

② 할머니는 이웃과 (티격태격, 어우렁더우렁) 잘 지냈다.

③ 징이며 꽹과리, 북, 장구 소리가 한데 (어우러졌다, 돌아갔다).

④ (한산한, 혼잡한) 곳에서는 다른 사람과 부딪치지 않게 조심합시다.

⑤ 그 집은 힘든 일도 가족끼리 (화합해서, 지쳐서) 잘 헤쳐 나간다.

연상 어휘

✏️ 그림을 보고, 떠오르는 낱말을 보기 에서 찾아 빈칸에 쓰세요.

보기   대도시   교통 체증

혼잡하다

동음이의어

✏️ 글을 읽고, 밑줄 친 낱말의 뜻을 보기 에서 찾아 빈칸에 알맞은 기호를 쓰세요.

보기
ㄱ 고장: 사람이 많이 사는 지방이나 지역.
ㄴ 고장(故 연고 고 障 막을 장): 기구나 기계가 제대로 움직이지 못하게 되는 상태.

① 우리 **고장**은 산 좋고 물 좋은 곳으로 유명하다. ·········· ☐

② 컴퓨터가 **고장**이 나서 켜지지 않는다. ··············· ☐

③ 이 **고장** 아이들은 하나같이 수영을 매우 잘한다. ···· ☐

한자어

✏️ '중(中)'과 '혼(混)'의 뜻을 읽고, 알맞은 낱말을 보기 에서 찾아 빈칸에 쓰세요.

보기   혼란스럽다   중앙   혼합물   중학교

중심지

중(中 가운데 중)
'가운데'를 뜻하는 말이에요.

혼잡하다

혼(混 섞을 혼)
'섞다'를 뜻하는 말이에요.

*'혼란스럽다'는 '보기에 뒤죽박죽이 되어 어지럽다'는 뜻이고, '혼합물'은 '여러 가지가 뒤섞여서 이루어진 것'을 뜻해요.

스스로 평가 😄 🙂 😣

3일

물질

'물질'과 관련 있는 어휘와 그 뜻을 소리 내어 읽고, 어휘 그물을 살펴보며 빈칸에 알맞은 낱말을 쓰세요.

단단하다

유리

고◻

◻명◻◻

금속

◻력◻

부드럽고
연한 잎이야.

고무

◻연◻◻

물◻

물질

2
주

어휘 읽기

고체(固 굳을 **고** 體 몸 **체**)
담는 그릇이 바뀌어도 모양과 크기가 변하지
않는 물질의 상태.

기체(氣 기운 **기** 體 몸 **체**)
담는 그릇에 따라 모양이 변하고 담긴
그릇을 항상 가득 채우는 성질이 있는
물질의 상태.

물체(物 물건 **물** 體 몸 **체**)
구체적인 생김새나 모양을 가지고 있는 것.

수증기(水 물 **수** 蒸 찔 **증** 氣 기운 **기**)
기체 상태로 되어 있는 물.

액체(液 진 **액** 體 몸 **체**)
담는 그릇에 따라 모양은 변하지만 양은
변하지 않는 물질의 상태.

유연(柔 부드러울 **유** 軟 연할 **연**)**하다**
부드럽고 연하다.

증발(蒸 찔 **증** 發 필 **발**)
어떤 물질이 액체 상태에서 기체 상태로
변하는 현상.

탄력적(彈 탄알 **탄** 力 힘 **력** 的 과녁 **적**)
용수철처럼 튀거나 팽팽하게 버티는 힘이
있는 것.

투명(透 사무칠 **투** 明 밝을 **명**)**하다**
물 따위가 속까지 환히 비치도록 맑다.

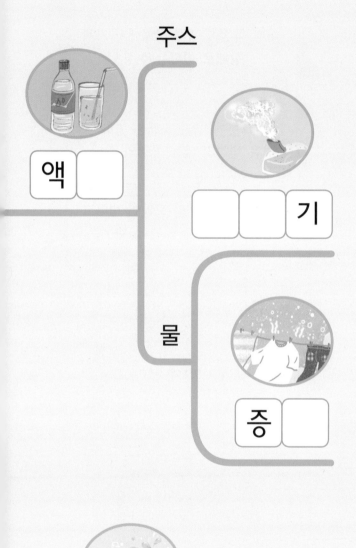

주스

액◻

◻◻기

물

증◻

공기 방울이야.

산소

기◻

공기

41

✏️ 낱말을 읽고, 알맞은 뜻을 찾아 선으로 이으세요.

고체	•		•		담는 그릇이 바뀌어도 모양과 크기가 변하지 않는 물질의 상태.
기체	•		•		어떤 물질이 액체 상태에서 기체 상태로 변하는 현상.
액체	•		•		담는 그릇에 따라 모양은 변하지만 양은 변하지 않는 물질의 상태.
증발	•		•		담는 그릇에 따라 모양이 변하고 담긴 그릇을 항상 가득 채우는 성질이 있는 물질의 상태.

✏️ 글을 읽고, 바른 문장이 되도록 알맞은 낱말을 보기 에서 찾아 빈칸에 쓰세요.

보기   탄력적   투명하다   물체   수증기   유연해

① 바닥이 다 보일 정도로 샘물이 [   ].

② 바지 속의 고무줄이 [   ]이어서 허리가 잘 늘어난다.

③ 연둣빛 새싹은 무척 [   ] 보였다.

④ 목욕탕에는 뿌연 [   ]가 자욱했다.

⑤ 어두운 방에 커다랗고 이상한 [   ]가 눈에 띄었다.

✎ 낱말을 읽고, 포함하는 말을 보기 에서 찾아 빈칸에 쓰세요.

보기　　　액체　　　기체

| | | | | | |
| 주스 | 우유 | 물 | 산소 | 수소 | 질소 |

✎ '력(力)'과 '액(液)'의 뜻을 읽고, 알맞은 낱말을 보기 에서 찾아 빈칸에 쓰세요.

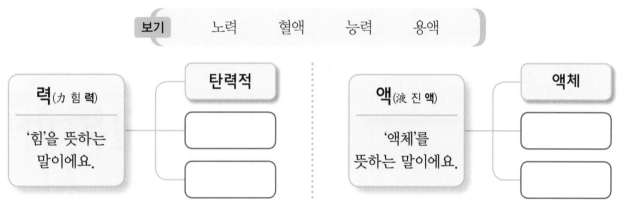

보기　　노력　　혈액　　능력　　용액

력(力 힘 력)

'힘'을 뜻하는
말이에요.

탄력적

액(液 진 액)

'액체'를
뜻하는 말이에요.

액체

＊'용액'은 '두 가지 이상의 물질이 고르게 섞인 액체'를 뜻해요.

✎ 만화를 보고, 상황에 맞는 말이 되도록 알맞은 낱말을 보기 에서 찾아 빈칸에 쓰세요.

보기　　　장소　　　공기

▶관용구 '공기가 팽팽하다'는 '분위기가 몹시 긴장되어 있다'는 뜻이에요.

스스로
평가　😆　☺　😟

43

4일

교통과 통신

'교통과 통신'과 관련 있는 어휘와 그 뜻을 소리 내어 읽고,
어휘 그물을 살펴보며 빈칸에 알맞은 낱말을 쓰세요.

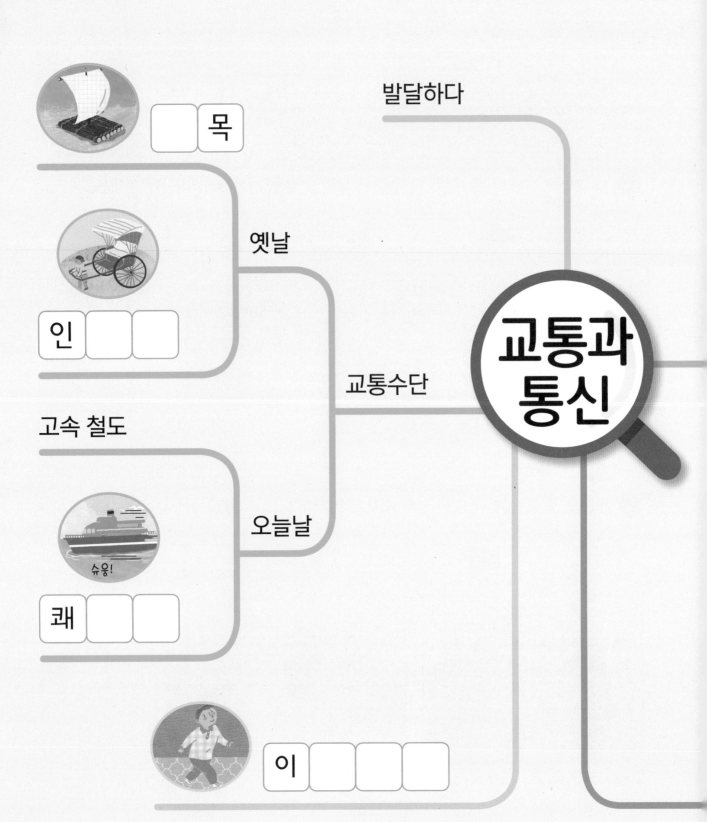

목

발달하다

옛날

인

교통수단

고속 철도

오늘날

슈웅!

쾌

이

교통과 통신

2
주

파[ ]

옛날

봉[ ]

신 수단

어떤 정보를
찾을까?

[ ]터[ ]

오늘날

화[ ]

전[ ][ ]

어휘 읽기

뗏목
통나무를 가지런히 엮은 것으로, 물에 띄워
사람이나 물건을 운반할 수 있도록 만든 것.

봉수(烽 봉화 **봉** 燧 부싯돌 **수**)
고려·조선 시대에 밤에는 횃불, 낮에는
연기를 피워 나라의 중요한 일을 알리던
통신 수단.

이동(移 옮길 **이** 動 움직일 **동**)**하다**
움직여 옮기다.

인력거(人 사람 **인** 力 힘 **력** 車 수레 **거**)
사람이 끄는, 바퀴가 두 개 달린 수레.

인터넷
전 세계의 컴퓨터가 서로 연결되어 정보를
교환할 수 있는 컴퓨터 통신망.

전(傳 전할 **전**)**하다**
어떤 것을 상대에게 옮기어 주다.

쾌속선(快 쾌할 **쾌** 速 빠를 **속** 船 배 **선**)
속도가 매우 빠른 배.

파발(擺 열 **파** 撥 다스릴 **발**)
조선 후기에 나라의 문서를 급히 보내기
위하여 만든 교통·통신 수단. 또는
그 사이를 오가던 사람.

화상(畵 그림 **화** 像 모양 **상**)
컴퓨터, 텔레비전 등의 화면에 나타나는
모습.

📝 낱말이나 뜻을 읽고, 알맞은 낱말을 보기 에서 찾아 빈칸에 쓰세요.

| 보기 | 전하다 | 정보 | 봉수 | 쾌속선 | 수레 |

① 인력거: 사람이 끄는, 바퀴가 두 개 달린 ☐☐☐.

② ☐☐☐ : 고려·조선 시대에 밤에는 횃불, 낮에는 연기를 피워 나라의 중요한 일을 알리던 통신 수단.

③ ☐☐☐ : 어떤 것을 상대에게 옮기어 주다.

④ 인터넷: 전 세계의 컴퓨터가 서로 연결되어 ☐☐☐ 를 교환할 수 있도록 만든 컴퓨터 통신망.

⑤ ☐☐☐ : 속도가 매우 빠른 배.

📝 글을 읽고, 바른 문장이 되도록 알맞은 낱말을 찾아 ○ 하세요.

① 사람들은 그 할아버지 집으로 (솟아났다, 이동하였다).

② (자갈, 뗏목)을 타고 강 건너편으로 건너갔다.

③ 조선 시대에는 (파발, 신발)로 위급한 소식을 전달하였다.

④ (쾌속선, 유리병)이 바다 위를 빠르게 달렸다.

⑤ (이어폰, 인터넷)을 통해 전 세계의 많은 정보를 찾을 수 있다.

⑥ 화면으로 얼굴을 보며 통화하는 (화상, 음성) 통화가 많아졌다.

동음이의어

✎ 글을 읽고, 낱말 '화상'이 어떤 의미로 쓰였는지 알맞은 뜻을 찾아 선으로 이으세요.

화상으로 통신하다.

화상을 입다.

화상(火 불 화 傷 다칠 상)

불 등에 데었을 때 일어나는 피부 손상.

화상(畫 그림 화 像 모양 상)

컴퓨터, 텔레비전 등의 화면에 나타나는 모습.

2
주

하위어

✎ 낱말을 읽고, 포함되는 말을 보기에서 찾아 빈칸에 쓰세요.

보기   봉수   뗏목

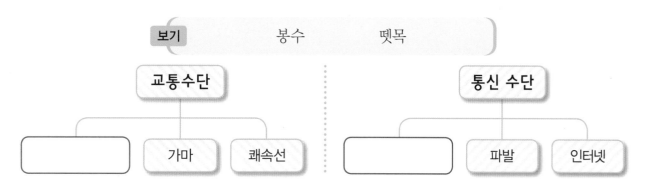

교통수단

[   ]   가마   쾌속선

통신 수단

[   ]   파발   인터넷

속담

✎ 만화를 보고, 상황에 맞는 말이 되도록 알맞은 낱말을 보기에서 찾아 빈칸에 쓰세요.

보기   배   새

사공이 많으면
[   ] 가
산으로 간다

▶ 속담 '사공이 많으면 배가 산으로 간다'는 '여러 사람이 자기주장만 내세우면 일이 제대로 되기 어렵다'는 뜻이에요.

스스로 평가 😆 🙂 😞

국어 뜻을 읽고, 알맞은 낱말을 보기 에서 찾아 빈칸에 쓰세요.

보기   표준어   동기   점자

시각 장애인이 손가락으로 더듬어 읽도록 만든 문자. [   ]

이 글을 쓰게 된 계기는…

어떤 일이나 행동을 일으키게 하는 원인. [   ]

한 나라에서 공식적으로 쓰는 언어. [   ]

수학 낱말의 뜻을 읽고, 바른 문장이 되도록 보기 에서 알맞은 낱말을 찾아 빈칸에 쓰세요.

보기
- 몫: 여럿으로 나누어 가지는 각 부분.
- 나머지: 일정한 정도에 차고 남은 부분.
- 등분(等 무리 등 分 나눌 분): 분량을 똑같이 나눔.
- 검산(檢 검사할 검 算 셈 산): 계산의 결과가 맞는지 다시 조사하는 일.

① 계산을 한 다음, 맞게 계산했는지 [   ]을 하는 것이 좋다.

② 너희들이 먹고 남은 [   ]를 내가 먹겠다.

③ 수확량이 적어서 일꾼 각자에게 돌아가는 [   ]이 적었다.

④ 여럿이 나누어 먹기 위해 피자를 여덟 조각으로 [   ]했다.

📖 사회 낱말을 읽고, 알맞은 뜻을 찾아 선으로 이으세요.

2주

중심지 •

•  고려·조선 시대에 밤에는 횃불, 낮에는 연기를 피워 나라의 중요한 일을 알리던 통신 수단.

인력거 •

•  직접 보고 그 일에 관한 지식을 넓힘.

소달구지 •

•  어떤 일이나 활동의 중심이 되는 곳.

가마 •

•  사람이 끄는, 바퀴가 두 개 달린 수레.

봉수 •

•  소가 끄는 수레.

견학 •

•  어떤 지역에서 생산되어 나오는 특별한 물건.

특산물 •

•  서로 만나서 이야기함.

면담 •

•  조그만 집 모양의 탈것으로 안에 사람을 태우고 둘이나 넷이 들거나 메던 것.

📖 과학 글을 읽고, 바른 문장이 되도록 알맞은 낱말을 보기 에서 찾아 빈칸에 쓰세요.

보기　　질겨서　　탄력적　　성질　　물체　　액체

① 구체적인 형태가 있는 사과, 구두, 우산 모두 [　　　　　]이다.

② 고무는 [　　　　　]이고 잘 늘어나서 풍선의 재료로 알맞다.

③ 유리는 투명하고, 금속은 단단한 것처럼 물체마다 고유한 [　　　　　]이 있다.

④ 가죽은 부드러우면서도 [　　　　　] 가방의 재료로 많이 쓰인다.

⑤ [　　　　　]는 담는 그릇에 따라 모양은 바뀌지만, 양은 변하지 않는다.

＊'질기다'는 '물건이 쉽게 해지거나 끊어지지 않고 견디는 힘이 세다'를, '성질'은 '사물이 본래부터 가지고 있는 특성'을 뜻해요.

📖 과학 낱말을 읽고, 알맞은 뜻을 찾아 선으로 이으세요.

수증기　　•　　　　　　　•　종류에 따라서 가름.

탄력적　　•　　　　　　　•　여리고 단단하지 않다.

분류　　•　　　　　　　•　기체 상태로 되어 있는 물.

무르다　　•　　　　　　　•　용수철처럼 튀거나 팽팽하게 버티는 힘이 있는 것.

'각주구검'에 대한 글을 읽고, 물음에 답하세요.

각주구검(刻舟求劍)

　　춘추 전국 시대 초나라의 한 남자가 매우 소중히 여기는 칼을 가지고 배에 탔어요. 그런데 강을 건너던 중 그만 쥐고 있던 칼을 실수로 강물에 떨어뜨리고 말았지요. 놀란 남자는 얼른 주머니칼을 꺼내서 칼을 빠뜨린 부분의 배 가장자리에 자국을 내어 표시를 하였어요. '칼이 떨어진 자리에 표시를 해 놓았으니 찾을 수 있을 거야.'라고 생각했지요. 남자는 배가 언덕에 닿자 칼을 찾으러 배에 표시를 해 놓은 쪽의 물속으로 뛰어들었어요. 배는 이미 강을 건넜기 때문에 당연히 칼을 찾을 수 없었고, 사람들은 그의 어리석은 행동을 비웃었어요. 그 후로 판단력이 둔하여 융통성*이 없고, 세상일에 어둡고 어리석음을 나타낼 때 '刻(새길 각)', '舟(배 주)', '求(구할 구)', '劍(칼 검)' 자를 써서 '각주구검(刻舟求劍)'이라는 말을 쓰게 되었답니다.

***융통성**: 그때그때의 사정과 형편을 보아 일을 처리하는 재주.

1. '융통성이 없고 세상일에 어둡고 어리석다'를 뜻하는 사자성어를 빈칸에 쓰세요.

2. '각주구검'의 뜻을 생각하며, '각주구검'이 들어간 짧은 글짓기를 하세요.

스스로
평가

51

○ ✕ 낱말 미로

💡 길을 따라가며 나오는 글을 읽고, 내용이 맞으면 ○, 틀리면 ✕를 따라 줄을 그으세요.

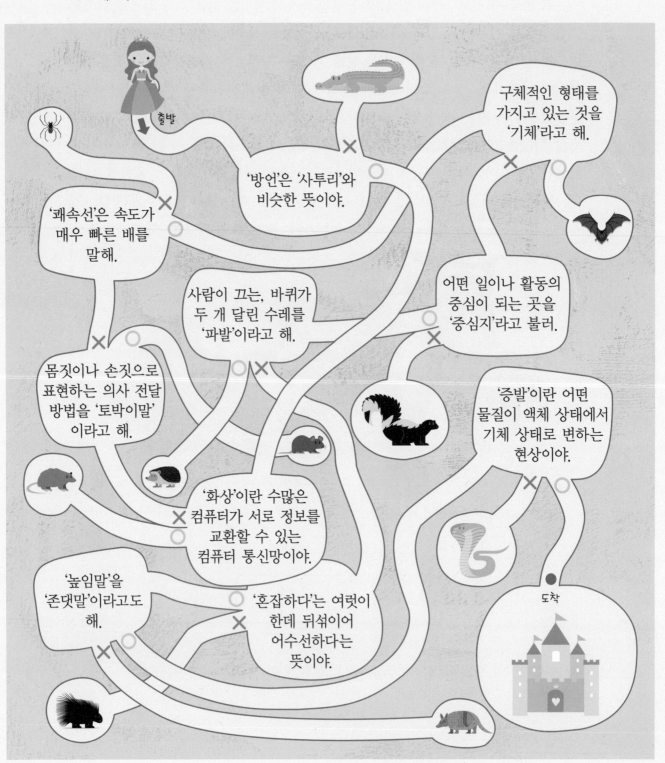

관심 있는 주제를 가운데 동그라미에 쓰고, 어휘들을 자유롭게 적으며 나만의 어휘 그물을 만들어 보세요.

내가 만드는 어휘 그물

이번 주에 공부할 어휘들이에요.
어휘를 살펴보고,
알고 있는 어휘에 ✔를 하세요.
공부할 날짜를 쓰며
학습 계획도 세워 보세요.

1일 측정

📖 공부할 날 　　월 　　일

- ☐ 너비
- ☐ 눈금
- ☐ 단위
- ☐ 미만
- ☐ 범위
- ☐ 어림하다
- ☐ 이상
- ☐ 이하
- ☐ 초과

2일 지도

📖 공부할 날 　　월 　　일

- ☐ 간략하다
- ☐ 경사
- ☐ 기호
- ☐ 등고선
- ☐ 방위
- ☐ 비율
- ☐ 상징
- ☐ 촘촘하다
- ☐ 축소

3일 지각

📖 공부할 날 ◯ 월 ◯ 일

- ☐ 수평
- ☐ 어긋나다
- ☐ 지층
- ☐ 지표
- ☐ 지형
- ☐ 침식
- ☐ 켜켜이
- ☐ 퇴적
- ☐ 화석

4일 가족 행사

📖 공부할 날 ◯ 월 ◯ 일

- ☐ 경건하다
- ☐ 산소
- ☐ 실타래
- ☐ 예복
- ☐ 장례
- ☐ 제례
- ☐ 족두리
- ☐ 혼례
- ☐ 화장

5일 어휘 복습

📖 공부할 날 ◯ 월 ◯ 일

 아는 어휘   개 / 모르는 어휘   개

1일

측정

'측정'과 관련 있는 어휘와 그 뜻을 소리 내어 읽고, 어휘 그물을
살펴보며 빈칸에 알맞은 낱말을 쓰세요.

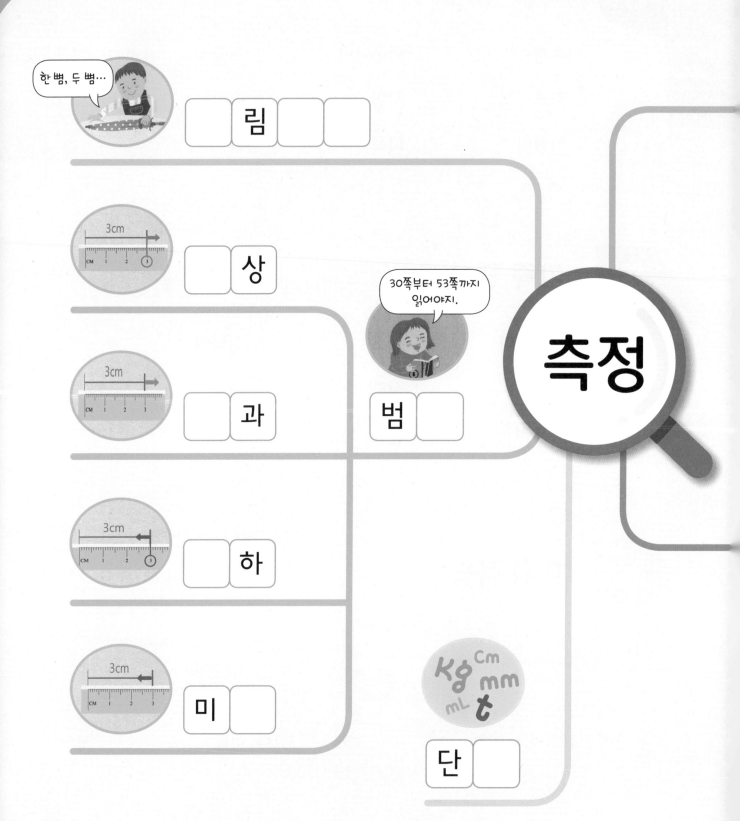

한 뼘, 두 뼘…

□ 림 □ □

3cm

□ 상

30쪽부터 53쪽까지
읽어야지.

범 □

측정

3cm

□ 과

3cm

□ 하

3cm

미 □

kg cm mm mL t

단 □

어휘 읽기

저울

전자저울

눈 ☐

재다

무게

넓이

너 ☐

길이

부피

너비
평면이나 넓은 물체의 가로로 건너지른
거리.

눈금
자, 저울, 온도계 등에 표시하여 길이,
양 등을 나타내는 금.

단위(單 홑 **단** 位 자리 **위**)
길이, 무게, 수, 시간 등을 수치로 나타낼 때
기초가 되는 일정한 기준.

미만(未 아닐 **미** 滿 찰 **만**)
정한 수나 정도에 차지 못함.

범위(範 법 **범** 圍 에워쌀 **위**)
테두리가 정하여진 구역.

어림하다
대강 짐작으로 헤아리다.

이상(以 써 **이** 上 윗 **상**)
수량이나 정도가 일정한 기준과 같거나
그보다 더 많거나 나음.

이하(以 써 **이** 下 아래 **하**)
수량이나 정도가 일정한 기준과 같거나
그보다 더 적거나 모자람.

초과(超 뛰어넘을 **초** 過 지날 **과**)
일정한 수나 정도를 넘음.

✏️ 낱말을 읽고, 알맞은 뜻을 찾아 선으로 이으세요.

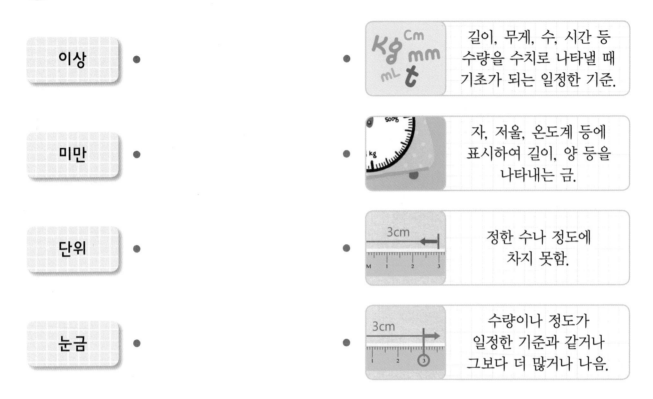

이상	•		•	kg cm mm mL t	길이, 무게, 수, 시간 등 수량을 수치로 나타낼 때 기초가 되는 일정한 기준.
미만	•		•	(저울) kg	자, 저울, 온도계 등에 표시하여 길이, 양 등을 나타내는 금.
단위	•		•	3cm	정한 수나 정도에 차지 못함.
눈금	•		•	3cm	수량이나 정도가 일정한 기준과 같거나 그보다 더 많거나 나음.

✏️ 글을 읽고, 바른 문장이 되도록 알맞은 낱말을 **보기** 에서 찾아 빈칸에 쓰세요.

보기   초과하여   범위   이하   어림해   너비

① 일하는 사람들이 도로의 [   ]를 재고 있다.

② 저 놀이 기구는 130센티미터 [   ] 아이만 탈 수 있다.

③ 남자는 짐의 무게를 [   ] 보았다.

④ 우리에 갇힌 사자는 움직일 수 있는 [   ]가 좁다.

⑤ 올해 판매 목표를 [   ] 달성하였습니다.

유의어 · 반의어

✎ 낱말을 읽고, 반대말이나 비슷한말을 보기 에서 찾아 빈칸에 쓰세요.

보기   미만   폭   이하   눈대중하다

이상	↔	

너비	=	

초과	↔	

어림하다	=	

*'눈대중하다'는 '눈으로 보아 어림잡아 헤아리다'를 뜻해요.

연상 어휘

✎ 그림을 보고, 떠오르는 낱말을 보기 에서 찾아 빈칸에 쓰세요.

보기   이정표   가리키다

눈금

*'이정표'는 '주로 도로 위에서 어느 곳까지의 거리와 방향을 알려 주는 표지'를 뜻해요.

한자어

✎ '초(超)'와 '미(未)'의 뜻을 읽고, 알맞은 낱말을 보기 에서 찾아 빈칸에 쓰세요.

보기   초월하다   미숙하다   미혼   초능력

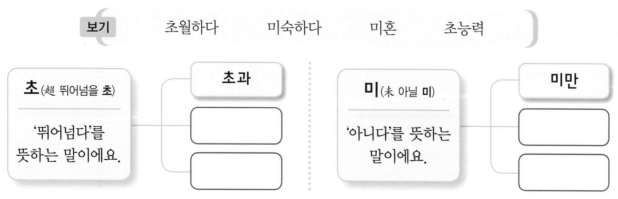

초(超 뛰어넘을 초)

'뛰어넘다'를
뜻하는 말이에요.

초과

미(未 아닐 미)

'아니다'를 뜻하는
말이에요.

미만

*'초월하다'는 '어떠한 한계나 표준을 뛰어넘다'를, '미숙하다'는 '일 따위에 익숙하지 못하여 서투르다'를, '미혼'은 '아직 결혼하지 않음'을 뜻해요.

스스로
평가

2일

지도

'지도'와 관련 있는 어휘와 그 뜻을 소리 내어 읽고, 어휘 그물을 살펴보며 빈칸에 알맞은 낱말을 쓰세요.

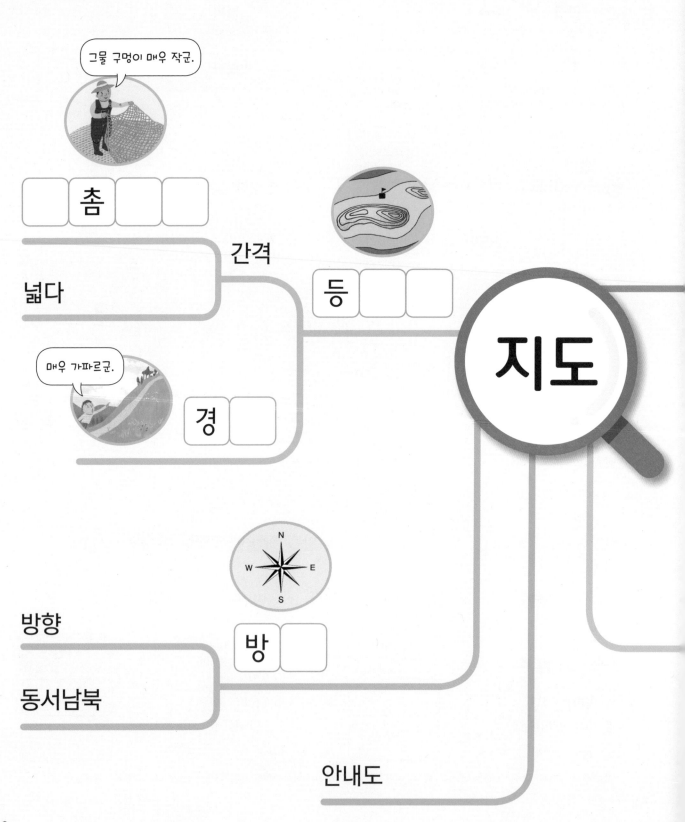

60

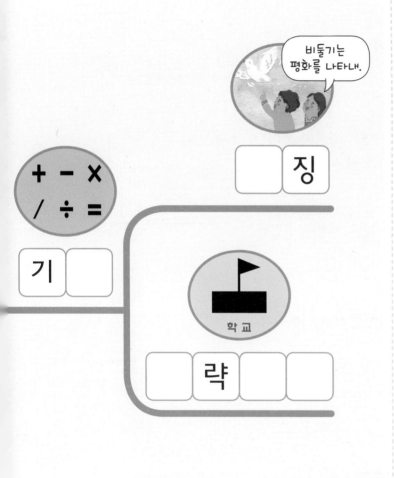

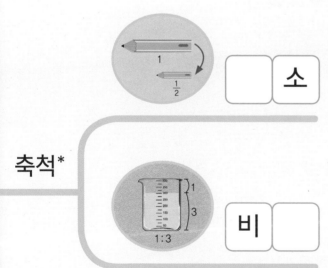

축척*

*축척: 지도에서의 거리와 땅 위에서의 실제 거리의 비율.

어휘 읽기

간략(簡 간략할 **간** 略 간략할 **략**)**하다**
간단하고 짤막하다.

경사(傾 기울 **경** 斜 비낄 **사**)
비스듬히 기울어짐.

기호(記 기록할 **기** 號 이름 **호**)
어떠한 뜻을 나타내기 위하여 쓰이는 부호,
문자, 표지 등을 나타내는 말.

등고선(等 무리 **등** 高 높을 **고** 線 줄 **선**)
지도에서 높이가 같은 지점을 연결한 곡선.

방위(方 모 **방** 位 자리 **위**)
동서남북을 기준으로 하여 나타내는
어느 쪽의 위치.

비율(比 견줄 **비** 率 비율 **율**)
기준이 되는 양에 대한 비교하는 양의 크기.

상징(象 모양 **상** 徵 부를 **징**)
추상적인 생각이나 사물을 구체적인 사물로
나타냄.

촘촘하다
틈이나 간격이 매우 좁거나 작다.

축소(縮 줄일 **축** 小 작을 **소**)
모양이나 크기를 줄여서 작게 함.

✏️ 뜻을 읽고, 알맞은 낱말을 보기 에서 찾아 빈칸에 쓰세요.

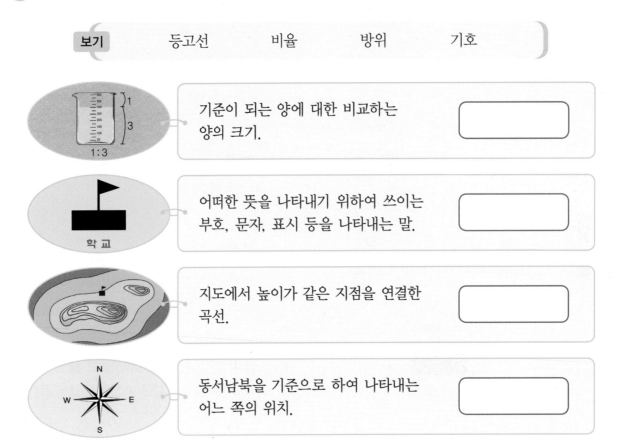

보기   등고선   비율   방위   기호

기준이 되는 양에 대한 비교하는 양의 크기.

어떠한 뜻을 나타내기 위하여 쓰이는 부호, 문자, 표시 등을 나타내는 말.

지도에서 높이가 같은 지점을 연결한 곡선.

동서남북을 기준으로 하여 나타내는 어느 쪽의 위치.

✏️ 글을 읽고, 바른 글이 되도록 알맞은 낱말을 찾아 ◯ 하세요.

① 그림 지도를 작게 (비율, 축소)했더니 잘 보이지 않는다.

② 뒷동산은 (방위, 경사)가 완만해서 오르기 쉽다.

③ 참빗은 아주 (촘촘해서, 드물어서) 머리가 곱게 빗겨진다.

④ 비둘기를 평화의 (물건, 상징)으로 삼았다.

⑤ 시간이 부족하니 (여유롭게, 간략하게) 그림을 그려라.

동음이의어

✏️ ( ) 안에 똑같이 들어갈 낱말의 알맞은 뜻을 찾아 선으로 이으세요.

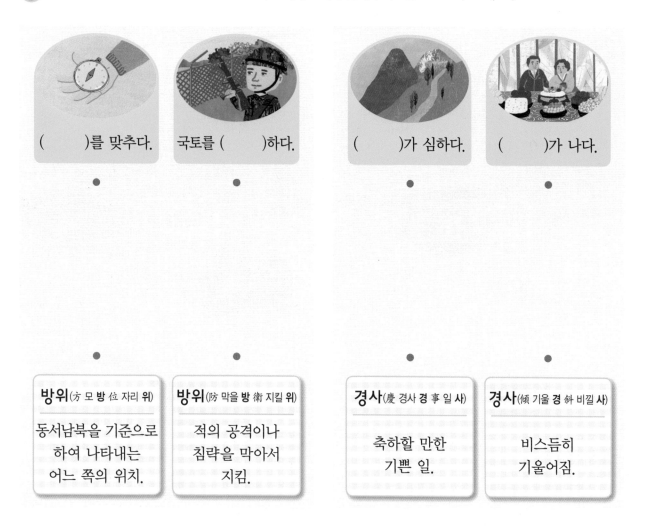

( )를 맞추다. 국토를 ( )하다. ( )가 심하다. ( )가 나다.

방위(方 모 **방** 位 자리 **위**)

동서남북을 기준으로 하여 나타내는 어느 쪽의 위치.

방위(防 막을 **방** 衛 지킬 **위**)

적의 공격이나 침략을 막아서 지킴.

경사(慶 경사 **경** 事 일 **사**)

축하할 만한 기쁜 일.

경사(傾 기울 **경** 斜 비낄 **사**)

비스듬히 기울어짐.

한자어

✏️ '율(率)'과 '선(線)'의 뜻을 읽고, 알맞은 낱말을 보기 에서 찾아 빈칸에 쓰세요.

보기   환율   직선   효율   광선

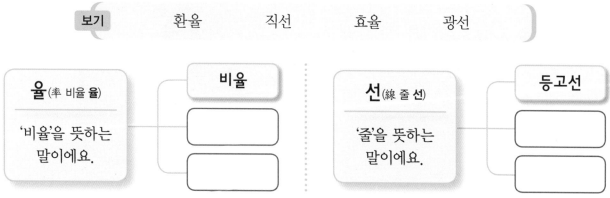

율(率 비율 **율**)

'비율'을 뜻하는 말이에요.

비율

선(線 줄 **선**)

'줄'을 뜻하는 말이에요.

등고선

*'환율'은 '두 나라 화폐 간의 교환 비율'을, '효율'은 '들인 노력과 얻은 결과의 비율'을, '광선'은 '빛의 줄기'를 뜻해요.

스스로 평가 😄 🙂 😞

3일

지각

'지각'과 관련 있는 어휘와 그 뜻을 소리 내어 읽고, 어휘 그물을 살펴보며 빈칸에 알맞은 낱말을 쓰세요.

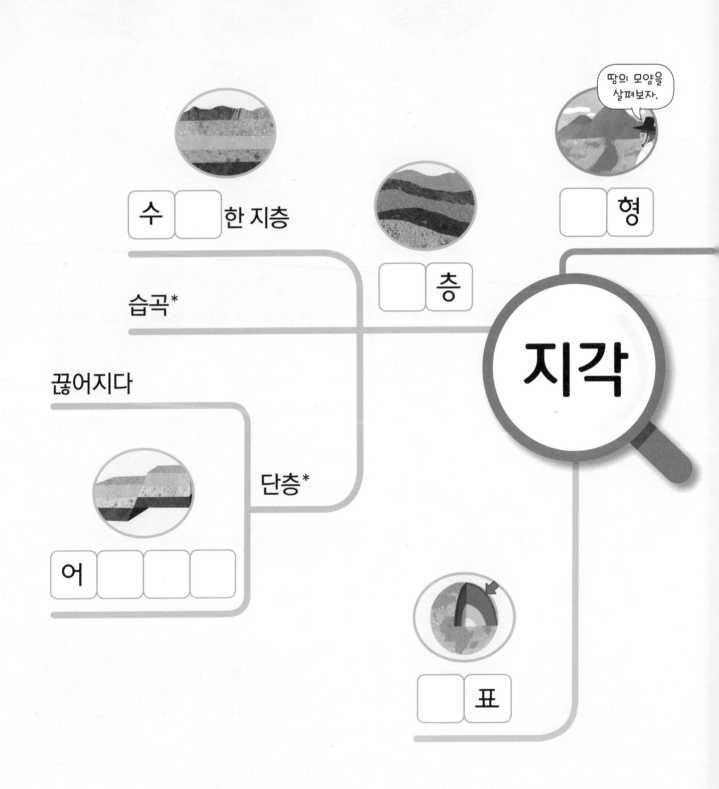

땅의 모양을 살펴보자.

수◻한 지층

◻형

◻층

습곡*

지각

끊어지다

단층*

어◻◻◻

◻표

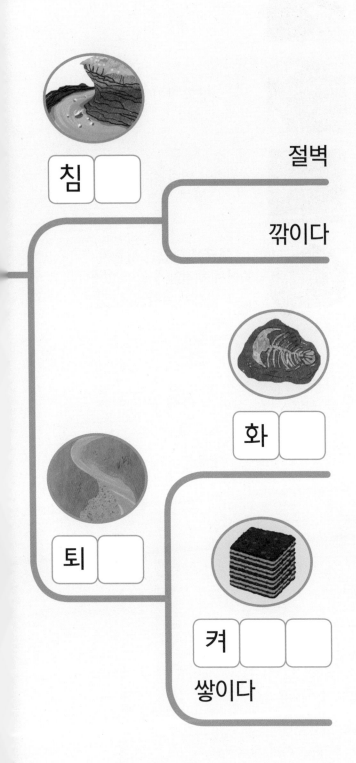

절벽

침 ☐

깎이다

화 ☐

퇴 ☐

켜 ☐ ☐

쌓이다

*단층: 지각 변동으로 지층이 갈라져 어긋나는 것. 또는 그런 지형.
*습곡: 지층이 물결 모양으로 주름이 지는 것.

어휘 읽기

수평(水 물 **수** 平 평평할 **평**)
기울지 않고 평평한 상태.

어긋나다
잘 맞물려 있는 물체가 틀어져서 맞지 않다.

지층(地 땅 **지** 層 층 **층**)
암석이 여러 겹의 층으로 쌓여 있는 것.

지표(地 땅 **지** 表 겉 **표**)
지구의 겉면.

지형(地 땅 **지** 形 모양 **형**)
땅의 생긴 모양.

침식(浸 잠길 **침** 蝕 좀먹을 **식**)
비, 하천, 빙하, 바람 등의 자연 현상이
지표를 깎는 일.

켜켜이
포개어진 물건 하나하나의 여러 층마다.

퇴적(堆 쌓을 **퇴** 積 쌓을 **적**)
많이 덮쳐져 쌓임.

화석(化 될 **화** 石 돌 **석**)
옛날에 살았던 생물이 죽어서 퇴적암에
들어 있거나 그 흔적이 남아 있는 것.

3
주

✎ 낱말을 읽고, 알맞은 뜻을 찾아 선으로 이으세요.

| 지층 | • | • | 비, 하천, 빙하, 바람 등의 자연 현상이 지표를 깎는 일. |

| 지형 | • | • | 땅의 생긴 모양. |

| 침식 | • | • | 암석이 여러 겹의 층으로 쌓여 있는 것. |

| 화석 | • | • | 옛날에 살았던 생물이 죽어서 퇴적암에 들어 있거나 그 흔적이 남아 있는 것. |

✎ 글을 읽고, 바른 문장이 되도록 알맞은 낱말을 보기 에서 찾아 빈칸에 쓰세요.

보기   켜켜이   지표   어긋나   퇴적   수평

① 오래된 문짝이 뒤틀려서 서로 [   ] 버렸다.

② 몸무게가 같은 자매가 앉은 시소는 [   ] 을 이루었다.

③ 강 하구에는 모래가 많이 [   ] 되어 있었다.

④ 마그마가 [   ] 를 뚫고 솟아오른다.

⑤ 창고에는 먼지가 [   ] 쌓인 책이 가득하다.

＊'하구'는 '강물이 바다로 흘러 들어가는 입구'를 뜻해요.

✎ 낱말을 읽고, 포함하는 말을 보기 에서 찾아 빈칸에 쓰세요.

보기　　퇴적암　　지층

이암　　사암　　역암　　습곡　　단층　　수평한 지층

동음이의어

✎ 글을 읽고, 밑줄 친 낱말의 뜻을 보기 에서 찾아 알맞은 기호를 빈칸에 쓰세요.

보기
ㄱ 어긋나다: 잘 맞물려 있는 물체가 틀어져서 맞지 않다.
ㄴ 어긋나다: 기대에 맞지 아니하거나 일정한 기준에서 벗어나다.

① 아이는 선생님의 기대에 **어긋나지** 않으려고 노력했다. ┈┈┈┈ ☐

② 심한 운동으로 뼈가 **어긋나** 버렸다. ┈┈┈┈┈┈┈┈ ☐

③ **어긋난** 문은 열 때마다 삐그덕거렸다. ┈┈┈┈┈┈ ☐

④ 그렇게 행동하는 것은 규칙에 **어긋납니다.** ┈┈┈┈ ☐

한자어

✎ '지(地)'와 '석(石)'의 뜻을 읽고, 알맞은 낱말을 보기 에서 찾아 빈칸에 쓰세요.

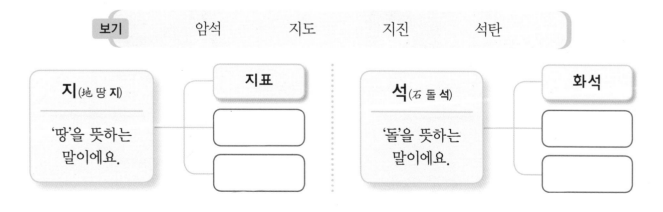

보기　　암석　　지도　　지진　　석탄

지(地 땅 지)

'땅'을 뜻하는 말이에요.

지표

석(石 돌 석)

'돌'을 뜻하는 말이에요.

화석

스스로 평가　😄 🙂 🙁

67

4일

가족 행사

'가족 행사'와 관련 있는 어휘와 그 뜻을 소리 내어 읽고, 어휘 그물을 살펴보며 빈칸에 알맞은 낱말을 쓰세요.

연지 곤지 □□리

전통 혼□

예식장

예□

현대 결혼식

결혼식

가족 행사

화□

장□

소

어휘 읽기

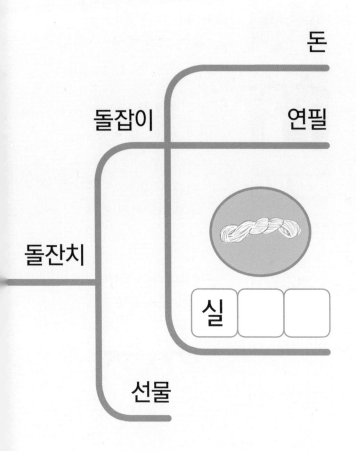

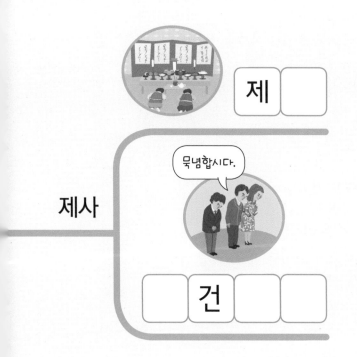

경건(敬 공경 **경** 虔 공경할 **건**)**하다**
공경하며 몸가짐이나 말을 조심하다.

산소(山 산 **산** 所 곳 **소**)
사람의 무덤을 높여 이르는 말.

실타래
실을 쉽게 풀어 쓸 수 있도록 한데 뭉치거나
감아 놓은 것.

예복(禮 예절 **예** 服 옷 **복**)
예식 때나 예절을 특별하게 차릴 때에
입는 옷.

장례(葬 장사지낼 **장** 禮 예절 **례**)
죽은 사람을 땅에 묻거나 화장하는 일을
하는 것. 또는 그런 예식.

제례(祭 제사 **제** 禮 예절 **례**)
제사를 지내는 예절이나 예식.

족두리
전통 결혼식에서 여자들이 예복을 입을
때에 머리에 얹던 장신구.

혼례(婚 결혼할 **혼** 禮 예절 **례**)
결혼식.

화장(火 불 **화** 葬 장사지낼 **장**)
죽은 사람의 몸을 불에 태움.

✏️ 낱말을 읽고, 알맞은 뜻을 찾아 선으로 이으세요.

경건하다	죽은 사람을 땅에 묻거나 화장하는 일을 하는 것. 또는 그런 예식.
혼례	결혼식.
장례	제사를 지내는 예절이나 예식.
제례	공경하며 몸가짐이나 말을 조심하다.

✏️ 글을 읽고, 바른 문장이 되도록 알맞은 낱말을 찾아 ◯ 하세요.

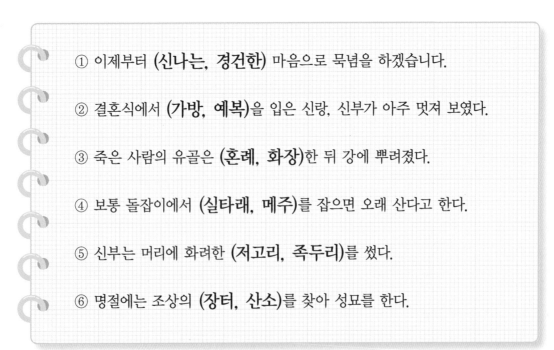

① 이제부터 (**신나는**, **경건한**) 마음으로 묵념을 하겠습니다.

② 결혼식에서 (**가방**, **예복**)을 입은 신랑, 신부가 아주 멋져 보였다.

③ 죽은 사람의 유골은 (**혼례**, **화장**)한 뒤 강에 뿌려졌다.

④ 보통 돌잡이에서 (**실타래**, **메주**)를 잡으면 오래 산다고 한다.

⑤ 신부는 머리에 화려한 (**저고리**, **족두리**)를 썼다.

⑥ 명절에는 조상의 (**장터**, **산소**)를 찾아 성묘를 한다.

상위어·하위어

✎ 낱말을 읽고, 알맞은 말을 보기 에서 찾아 빈칸에 쓰세요.

보기　　예복　　혼례

		예식
활옷	상복	웨딩드레스
장례	제례	

*'활옷'은 '전통 혼례 때에 새색시가 입는 예복'을, '상복'은 '상을 당했을 때 입는 옷'을, '예식'은 '항상 정해져 있는 일정한 격식'을 뜻해요.

동음이의어

✎ 글을 읽고, 낱말 '화장'이 어떤 의미로 쓰였는지 알맞은 뜻을 찾아 선으로 이으세요.

죽은 사람을 **화장**하다.

화장(化 될 화 粧 단장할 장)

화장품을 바르거나
문질러 얼굴을 곱게 꾸밈.

얼굴에 **화장**하다.

화장(火 불 화 葬 장사지낼 장)

죽은 사람의 몸을
불에 태움.

속담

✎ 뜻을 읽고, 바른 글이 되도록 똑같이 들어갈 낱말을 보기 에서 찾아 빈칸에 쓰세요.

보기　　제사　　산소

떡 본 김에 [　　　] 지낸다: 우연히 운 좋은 기회에, 하려던 일을 해치운다.

[　　　] 보다 젯밥에 정신이 있다: 맡은 일에는 정성을 들이지 않으면서
이익에만 마음을 둔다.

스스로
평가　😁　🙂　😞

📖 국어 글을 읽고, 바른 문장이 되도록 알맞은 낱말을 보기 에서 찾아 빈칸에 쓰세요.

| 보기 | 가을걷이 | 맏이 | 등받이 | 상징 | 의도 |

① 선생님은 의자 [   ]를 뒤로 젖히고 의자에 앉았다.

② 아버지가 안 계시니 [   ]인 내가 우리 집의 가장이다.

③ 태극기는 우리나라를 [   ]하는 국기이다.

④ 농부는 [   ]가 끝난 들판에서 흐르는 땀을 닦았다.

⑤ 나쁜 [   ]로 그런 게 아니라 정말 실수였어.

*'가을걷이'는 '가을에 익은 곡식을 거두어들임'을, '맏이'는 '여러 형제자매 가운데서 가장 나이가 많은 사람'을, '등받이'는 '의자에 앉을 때 등에 닿는 부분'을, '의도'는 '무엇을 하고자 하는 생각이나 계획, 또는 무엇을 하려고 꾀함'을 뜻해요.

📖 수학 낱말을 읽고, 알맞은 뜻을 찾아 선으로 이으세요.

이상	•		•	사물의 테두리나 바깥 부분.
이하	•		•	수량이나 정도가 일정한 기준과 같거나 그보다 더 많거나 나음.
중심	•		•	사물이나 도형의 한가운데.
둘레	•		•	수량이나 정도가 일정한 기준과 같거나 그보다 더 적거나 모자람.

72

사회 뜻을 읽고, 알맞은 낱말을 보기 에서 찾아 빈칸에 쓰세요.

보기   방위   기호   산소   장례   인구   협력   다양하다

3주

일정한 지역에 사는 사람의 수.

모양, 빛깔, 형태 등이 여러 가지로 많다.

어떠한 뜻을 나타내기 위하여 쓰이는 부호, 문자, 표지 등을 나타내는 말.

동서남북을 기준으로 하여 나타내는 어느 쪽의 위치.

사람의 무덤을 높여 이르는 말.

힘을 합하여 서로 도움.

죽은 사람을 땅에 묻거나 화장하는 일을 하는 것. 또는 그런 예식.

📖 과학 낱말을 읽고, 알맞은 뜻을 찾아 선으로 이으세요.

계량 •

침식 •

밀폐 •

• 샐 틈이 없이 꼭 막거나 닫음.

• 비, 하천, 빙하, 바람 등의 자연 현상이 지표를 깎는 일.

• 부피, 무게 등을 잼.

📖 과학 글을 읽고, 바른 문장이 되도록 알맞은 낱말을 보기 에서 찾아 빈칸에 쓰세요.

보기   상류   화석   암석   침식   어긋나는   진동

① 단층은 지층이 갈라져 [   ] 현상을 말한다.

② 물고기 [   ] 이 산에서 발견되기도 한다.

③ 퇴적암은 퇴적물이 굳어진 [   ] 이다.

④ 사람들은 작은 배를 타고 강의 [   ] 로 거슬러 올라갔다.

⑤ 휴대폰이 울리면서 [   ] 이 느껴졌다.

⑥ 절벽은 거센 파도에 오랫동안 [   ] 되어 만들어진 곳이다.

*'상류'는 '강이나 내가 시작되는 곳에 가까운 부분'을, '암석'은 '지각을 이루고 있는 단단한 물질'을, '진동'은 '흔들려 움직임'을 뜻해요.

사면초가(四面楚歌)

한나라와의 전쟁에서 점점 밀리던 초나라의 항우는 결국 한나라와 강화*를 맺어 다툼을 그만두기로 했어요. 그런데 한나라의 군대가 약속을 어기고 초나라로 돌아가던 항우를 공격했지요. 빠져나갈 길은 없고, 식량도 떨어져 가는 상황이었어요. 그때 한나라에 붙잡힌 초나라 병사들의 고향 노래가 들려왔어요. 항우는 그 노래를 듣고 '초나라는 이미 한나라에게 넘어간 것인가? 어떻게 포로의 수가 저렇게 많은가?' 하고 크게 한숨을 쉬고는 끝까지 싸우다가 죽음을 맞이했어요. 이 이야기에서 유래된 말인 '사면초가'는 '四(넷 사)', '面(얼굴 면)', '楚(초나라 초)', '歌(노래 가)'를 써서 '사방에서 들려오는 초나라 노래'라는 뜻으로, '적에게 포위되거나 몹시 어려운 일을 당하여 곤경에 처한 상태'를 나타낸답니다.

*강화: 싸우던 두 편이 싸움을 그치고 평화로운 상태가 됨.

1. '몹시 어려운 일을 당하여 곤경에 처한 상태'를 뜻하는 사자성어를 빈칸에 쓰세요.

<table>
<tr><td>　</td><td>　</td><td>　</td><td>　</td></tr>
</table>

2. '사면초가'의 뜻을 생각하며, '사면초가'가 들어간 짧은 글짓기를 하세요.

스스로
평가 😄 ☺ ☹

75

이행시랑 삼행시랑

💡 제시된 낱말을 보고 재미있는 이행시 또는 삼행시를 지으세요.

예

등	**등**교를 하는데 배가 꼬르륵꼬르륵. 아이, 배고파!
고	**고**구마 냄새가 솔솔. 어디서 나지? 누가 먹지?
선	**선**생님이 고구마 드시고 계시네. 저도 주세요!

| 지 | 지 |
| 형 | 형 |

족	족
두	두
리	리

| 너 | 너 |
| 비 | 비 |

관심 있는 주제를 가운데 동그라미에 쓰고, 어휘들을
자유롭게 적으며 나만의 어휘 그물을 만들어 보세요.

내가 만드는
어휘 그물

이번 주에 공부할 어휘들이에요.
어휘를 살펴보고,
알고 있는 어휘에 ✓를 하세요.
공부할 날짜를 쓰며
학습 계획도 세워 보세요.

1일 가정

📖 공부할 날 　월　일

- ☐ 가화만사성
- ☐ 구성원
- ☐ 독신
- ☐ 식구
- ☐ 아늑하다
- ☐ 입양
- ☐ 정직
- ☐ 조손
- ☐ 호적

2일 음식

📖 공부할 날 　월　일

- ☐ 간편하다
- ☐ 데치다
- ☐ 신선하다
- ☐ 유통 기한
- ☐ 제철
- ☐ 조리
- ☐ 졸이다
- ☐ 즉석식품
- ☐ 짭조름하다

3일 절약

📖 공부할 날　　　월　　　일

- ☐ 고액
- ☐ 관리하다
- ☐ 구두쇠
- ☐ 비용
- ☐ 액수
- ☐ 예산
- ☐ 재물
- ☐ 지출하다
- ☐ 투자

4일 의사소통

📖 공부할 날　　　월　　　일

- ☐ 무전기
- ☐ 발송
- ☐ 수신
- ☐ 연락하다
- ☐ 유출
- ☐ 전자 우편
- ☐ 접속
- ☐ 정보 교환
- ☐ 휴대 전화

5일 어휘 복습

📖 공부할 날　　　월　　　일

아는 어휘　　　　　　개 ／ 모르는 어휘　　　　　　개

1일

가정

'가정'과 관련 있는 어휘와 그 뜻을 소리 내어 읽고, 어휘 그물을 살펴보며 빈칸에 알맞은 낱말을 쓰세요.

난 평생 결혼하지 않을 거야.

우리 집은 셋이 함께 살아!

우리는 같은 모둠 친구들이야!

독 ☐

식 ☐

☐ 손

☐ 성 ☐

가정

한 부모*

화목하다*

분위기

☐ 늑 ☐ ☐

가훈

성실

*한 부모: 부모 중 어느 한쪽만 있음.
*화목하다: 서로 생각이 같고 따뜻한 정이 있다.

어휘 읽기

4주

가화만사성(家 집 **가** 和 화목할 **화**
萬 일만 **만** 事 일 **사** 成 이룰 **성**)
집안이 화목하면 모든 일이 잘된다는 말.

구성원
(構 얽을 **구** 成 이룰 **성** 員 인원 **원**)
어떤 모임이나 단체를 이루고 있는 사람들.

독신(獨 홀로 **독** 身 몸 **신**)
결혼하지 않고 혼자 사는 사람.

식구(食 먹을 **식** 口 입 **구**)
한집에서 함께 사는 사람.

아늑하다
따뜻하고 부드럽게 안기는 것처럼
편안하고 조용하다.

입양(入 들 **입** 養 기를 **양**)
남의 아이를 자기 자식으로 삼는 것.

정직(正 바를 **정** 直 곧을 **직**)
거짓이나 꾸밈이 없이 마음이 바르고 곧음.

조손(祖 할아버지 **조** 孫 손자 **손**)
할아버지, 할머니와 손자, 손녀.

호적(戶 집 **호** 籍 문서 **적**)
한집의 가족 관계를 자세히 기록한 문서.

🖐 뜻을 읽고, 알맞은 낱말을 보기 에서 찾아 빈칸에 쓰세요.

보기   정직   구성원   입양   독신

남의 아이를 자기 자식으로 삼는 것. ☐

거짓이나 꾸밈이 없이 마음이 바르고 곧음. ☐

결혼하지 않고 혼자 사는 사람. ☐

어떤 모임이나 단체를 이루고 있는 사람들. ☐

🖐 글을 읽고, 바른 문장이 되도록 알맞은 낱말을 찾아 ◯ 하세요.

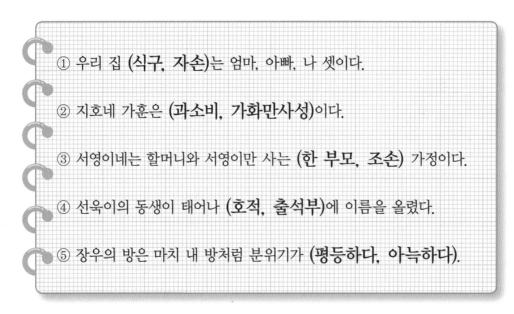

① 우리 집 (**식구**, **자손**)는 엄마, 아빠, 나 셋이다.

② 지호네 가훈은 (**과소비**, **가화만사성**)이다.

③ 서영이네는 할머니와 서영이만 사는 (**한 부모**, **조손**) 가정이다.

④ 선욱이의 동생이 태어나 (**호적**, **출석부**)에 이름을 올렸다.

⑤ 장우의 방은 마치 내 방처럼 분위기가 (**평등하다**, **아늑하다**).

유의어

✎ 낱말을 읽고, 비슷한말을 보기 에서 찾아 빈칸에 쓰세요.

보기   포근하다   가족

식구 = ☐   아늑하다 = ☐

한자어

✎ '양(養)'과 '독(獨)'의 뜻을 읽고, 알맞은 낱말을 보기 에서 찾아 빈칸에 쓰세요.

보기   양성   독립   독거   양육

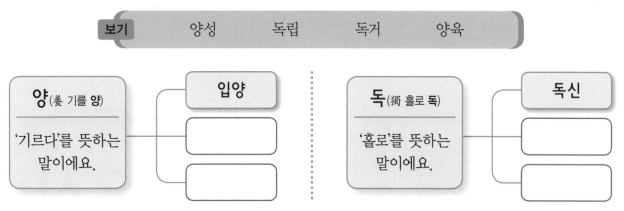

양(養 기를 양)	입양
'기르다'를 뜻하는 말이에요.	☐
	☐

독(獨 홀로 독)	독신
'홀로'를 뜻하는 말이에요.	☐
	☐

＊'양성'은 '가르쳐서 능력 있는 사람을 길러냄'을, '독거'는 '홀로 지냄'을, '양육'은 '아이를 보살피고 키우는 것'을 뜻해요.

속담

✎ 만화를 보고, 상황에 맞는 말이 되도록 알맞은 낱말을 보기 에서 찾아 빈칸에 쓰세요.

보기   부부   형제

결혼하고 잔소리가 심해졌어.

흥, 남편도 못 믿어!

그런데 우리 저녁은 뭐 먹지?

음, 피자 시켜 먹을까?

☐☐ 싸움은 칼로 물 베기

▶속담 '부부 싸움은 칼로 물 베기'는 '부부는 싸움을 하여도 화해하고 어울리기가 쉽다'는 뜻이에요.

스스로 평가 😄 ☺ 😞

음식

'음식'과 관련 있는 어휘와 그 뜻을 소리 내어 읽고, 어휘 그물을 살펴보며 빈칸에 알맞은 낱말을 쓰세요.

어휘 읽기

간편(簡 간략할 **간** 便 편할 **편**)**하다**
쓰기에 간단하고 편리하다.

데치다
끓는 물에 잠깐 넣어 살짝 익히다.

신선(新 새로울 **신** 鮮 고울 **선**)**하다**
채소, 과일, 생선 같은 것이 싱싱하다.

유통 기한(流 흐를 **류** 通 통할 **통**
期 기약할 **기** 限 한계 **한**)
먹을거리나 약 등을 팔 수 있는 기한.

제철
옷, 음식 따위가 알맞은 때.

조리(調 고를 **조** 理 다스릴 **리**)
여러 가지 재료를 가지고 음식을 만드는 것.

졸이다
국물이 거의 없어질 정도로 끓이다.

즉석식품(卽 곧 **즉** 席 자리 **석**
食 먹을 **식** 品 물건 **품**)
오래 두거나 가지고 다니면서 손쉽게
해 먹을 수 있는 식품.

짭조름하다
조금 짠맛이 있다.

✍ 낱말을 읽고, 알맞은 뜻을 찾아 선으로 이으세요.

즉석식품 •

짭조름하다 •

데치다 •

신선하다 •

 • 끓는 물에 잠깐 넣어 살짝 익히다.

 • 오래 두거나 가지고 다니면서 손쉽게 해 먹을 수 있는 식품.

 • 조금 짠맛이 있다.

 • 채소, 과일, 생선 같은 것이 싱싱하다.

✍ 글을 읽고, 바른 문장이 되도록 알맞은 낱말을 보기 에서 찾아 빈칸에 쓰세요.

보기   졸아서   조리   간편하게   제철   유통 기한

① [   ]에 나온 과일은 싱싱하고 맛있다.

② [   ]이 지난 식품은 판매할 수 없다.

③ 찌개가 너무 [   ] 국물이 거의 없다.

④ 이 음식은 [   ]하는 방법이 너무 복잡하다.

⑤ 캠핑용 의자는 접을 수 있어서 [   ] 가지고 다닐 수 있다.

✎ 그림을 보고, 떠오르는 낱말을 보기 에서 찾아 빈칸에 쓰세요.

보기 안심하다 확인

✎ '간(簡)'과 '즉(卽)'의 뜻을 읽고, 알맞은 낱말을 보기 에서 찾아 빈칸에 쓰세요.

보기 즉시 간단하다 즉흥적 간결하다

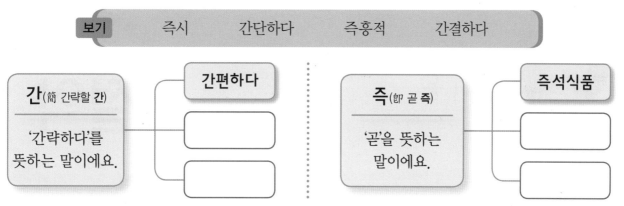

* '즉흥적'은 '그 자리에서 바로 일어나는 느낌이나 기분에 따라 하는 것'을, '간결하다'는 '간단하고 깨끗하다'를 뜻해요.

✎ 글을 읽고, 밑줄 친 낱말의 뜻을 보기 에서 찾아 알맞은 기호를 빈칸에 쓰세요.

보기
㉠ 조리(調 고를 조 理 다스릴 리): 여러 가지 재료를 가지고 음식을 만드는 것.
㉡ 조리(調 고를 조 理 다스릴 리): 아픈 몸을 잘 보살펴서 낫게 하는 것.

① 병에 걸렸을 때는 **조리**를 잘해야 금방 낫는다. ⋯⋯⋯⋯⋯⋯

② **조리**하지 않은 음식을 잘못 먹으면 배탈이 날 수 있다. ⋯⋯⋯⋯

스스로 평가 😄 🙂 😞

3일

절약

'절약'과 관련 있는 어휘와 그 뜻을 소리 내어 읽고, 어휘 그물을 살펴보며 빈칸에 알맞은 낱말을 쓰세요.

기록하다

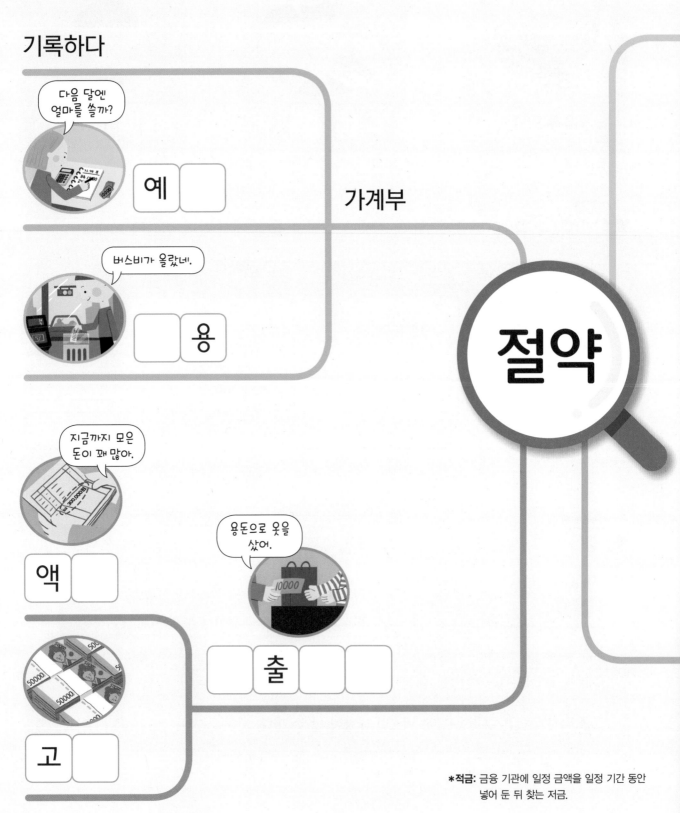

다음 달엔 얼마를 쓸까?

예⬜

가계부

버스비가 올랐네.

⬜용

지금까지 모은 돈이 꽤 많아.

액⬜

용돈으로 옷을 샀어.

⬜출⬜⬜

고⬜

절약

*적금: 금융 기관에 일정 금액을 일정 기간 동안 넣어 둔 뒤 찾는 저금.

88

4
주

어휘 읽기

고액(高 높을 고 額 수량 액)
큰돈. 또는 많은 돈.

관리(管 맡을 관 理 다스릴 리)**하다**
시설, 물건, 일 등을 맡아서 처리하다.

구두쇠
돈이나 물건을 지나치게 아끼는 사람.

비용(費 쓸 비 用 쓸 용)
어떤 일을 하는 데 드는 돈.

액수(額 수량 액 數 셈 수)
돈이 얼마인지 나타내는 수.

예산(豫 미리 예 算 셀 산)
일정 기간 동안 돈이 얼마나 들어오고
나가는지 미리 헤아려서 짜는 것.

재물(財 재물 재 物 물건 물)
돈이나 값비싼 그 밖의 물건.

지출(支 가를 지 出 날 출)**하다**
어떤 목적을 위해 돈이나 물건을 쓰다.

투자(投 던질 투 資 재물 자)
더 많은 돈을 벌기 위해 사업 등에 돈을
대거나 시간과 정성을 들이는 것.

통장

저축

적금*

내 돈은 한 푼도
쓸 수 없어.

| | 두 | |

이 사업에
내 돈을 대겠소.

| 투 | |

| 재 | |

이 일은 내가
맡아서 합니다.

| 관 | | | |

뜻을 읽고, 알맞은 낱말을 보기 에서 찾아 빈칸에 쓰세요.

보기   지출하다   액수   관리하다   투자

돈이 얼마인지 나타내는 수.

더 많은 돈을 벌기 위해 사업 등에 돈을 대거나 시간과 정성을 들이는 것.

시설, 물건, 일 등을 맡아서 처리하다.

어떤 목적을 위해 돈이나 물건을 쓰다.

글을 읽고, 바른 문장이 되도록 알맞은 낱말을 찾아 ⭕ 하세요.

① 옆집 아저씨는 돈을 잘 쓰지 않는 (구두쇠, 온돌)로 소문이 났다.

② 새로운 사업을 시작하는 데에 (환율, 고액)이 들어갔다.

③ 엄마는 지난달 이사할 때 든 (비용, 저축)이 얼마인지 계산했다.

④ 돈을 쓸 때는 (주제, 예산)을 잘 짜야 낭비를 막을 수 있다.

⑤ 할아버지는 평생 모은 (후손, 재물)을 기부했다.

＊'기부하다'는 '다른 사람이나 기관, 단체 등을 도울 목적으로 돈이나 재산을 대가 없이 내놓다'를 뜻해요.

유의어 · 반의어

✎ 낱말을 읽고, 낱말의 뜻이 서로 비슷하면 '='를, 반대이면 '↔'를 ◯ 안에 쓰세요.

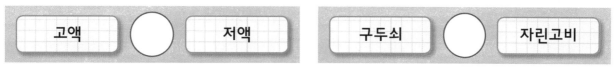

| 고액 | ◯ | 저액 |

| 구두쇠 | ◯ | 자린고비 |

*'저액'은 '적은 금액'을 뜻해요.

한자어

✎ '예(豫)'와 '투(投)'의 뜻을 읽고, 알맞은 낱말을 보기 에서 찾아 빈칸에 쓰세요.

보기   투수   투구   예보   예습

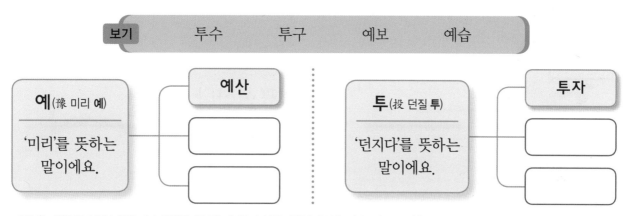

예(豫 미리 예)

'미리'를 뜻하는 말이에요.

예산

투(投 던질 투)

'던지다'를 뜻하는 말이에요.

투자

*'예보'는 '앞으로 일어날 일을 미리 알림'을, '투구'는 '야구나 볼링 따위에서 공을 던짐. 또는 그 공'을 뜻해요.

속담

✎ 만화를 보고, 상황에 맞는 말이 되도록 알맞은 낱말을 보기 에서 찾아 빈칸에 쓰세요.

보기   땅   돌

진짜 맛있는데 넌 안 사 먹어?

응, 나는 안 사 먹을래.

돈을 아꼈더니 벌써 이만큼이나 모았어!

➡ 굳은 [ ]에 물이 괸다

▶속담 '굳은 땅에 물이 괸다'는 '돈을 함부로 쓰지 않고 아끼는 사람이 재산을 모을 수 있다'는 뜻이에요.

스스로 평가 😄 🙂 😞

4일

의사소통

'의사소통'과 관련 있는 어휘와 그 뜻을 소리 내어 읽고, 어휘 그물을 살펴보며 빈칸에 알맞은 낱말을 쓰세요.

4주

어휘 읽기

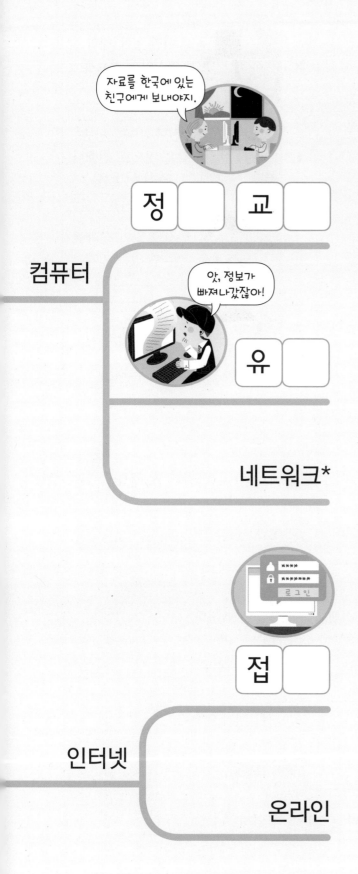

무전기
(無 없을 **무** 電 전기 **전** 機 기계 **기**)
전깃줄 없이 전화를 할 수 있는 기계.

발송(發 필 **발** 送 보낼 **송**)
물건이나 서류 같은 것을 우편으로 보냄.

수신(受 받을 **수** 信 믿을 **신**)
전화, 우편, 방송 같은 것으로 신호나
소식을 받음.

연락(連 잇닿을 **연** 絡 이을 **락**)**하다**
소식을 알리다.

유출(流 흐를 **유** 出 나갈 **출**)
중요한 것이 밖으로 빠져나가는 것.

전자 우편(電 전기 **전** 子 아들 **자**
郵 우편 **우** 便 편할 **편**)
인터넷으로 주고받는 편지.

접속(接 이을 **접** 續 이을 **속**)
서로 붙이거나 맞대어 잇는 것.
또는 컴퓨터가 인터넷에 연결되는 것.

정보 교환(情 뜻 **정** 報 알릴 **보**
交 주고받을 **교** 換 바꿀 **환**)
어떤 일에 대한 지식이나 자료를 주고받음.

휴대 전화(携 들 **휴** 帶 두를 **대**
電 전기 **전** 話 말할 **화**)
몸에 지니고 다니면서 전화를 걸고
받을 수 있는 전화기.

컴퓨터

네트워크*

인터넷

온라인

정 [ ] 교 [ ]

유 [ ]

접 [ ]

자료를 한국에 있는 친구에게 보내야지.

앗, 정보가 빠져나갔잖아!

*****네트워크**: 컴퓨터 여러 대를 연결하여 정보를 주고받을 수 있게 한 조직.

✏️ 낱말을 읽고, 알맞은 뜻을 찾아 선으로 이으세요.

무전기	●		●	어떤 일에 대한 지식이나 자료를 주고받음.
수신	●		●	전화, 우편, 방송 같은 것으로 신호나 소식을 받음.
정보 교환	●		●	전깃줄 없이 전화를 할 수 있는 기계.
연락하다	●		●	소식을 알리다.

✏️ 글을 읽고, 바른 문장이 되도록 알맞은 낱말을 보기 에서 찾아 빈칸에 쓰세요.

| 보기 | 발송 | 접속 | 전자 우편 | 휴대 전화 | 유출 |

① 시험 문제가 [   ] 되어 선생님들이 혼란에 빠졌다.

② [   ] 덕분에 길거리에서도 전화를 받을 수 있다.

③ 통신에 문제가 생겼는지 인터넷 [   ] 이 되지 않는다.

④ 정윤이는 오디션 신청서를 [   ] 으로 보냈다.

⑤ 물건을 택배로 [   ] 했다는 연락을 받았다.

연상 어휘
🖌 그림을 보고, 떠오르는 낱말을 보기 에서 찾아 빈칸에 쓰세요.

보기 　 맺다 　 연결하다

접속

유의어 · 반의어

🖌 낱말을 읽고, 낱말의 뜻이 서로 비슷하면 '＝'를, 반대이면 '↔'를 ○ 안에 쓰세요.

발송 　○　 우송　　　　수신 　○　 송신

＊'우송'은 '우편으로 보냄'을, '송신'은 '전화, 방송 따위의 신호를 보냄'을 뜻해요.

속담

🖌 만화를 보고, 상황에 맞는 말이 되도록 알맞은 낱말을 보기 에서 찾아 빈칸에 쓰세요.

보기 　 밥 　 말

앗, 이런!

내 장난감, 물어내!

넌 내가 가장 좋아하는 친구인데 속상하게 해서 미안해. 내가 꼭 물어 줄게.

아, 아니야, 꼭 안 물어 줘도 돼.

□ 한마디에

천 냥 빚도

갚는다

▶속담 '말 한마디에 천 냥 빚도 갚는다'는 '말만 잘하면 어려운 일이나 불가능해 보이는 일도 해결할 수 있다'는 뜻이에요.

스스로
평가 　😄 ☺ 😞

국어 뜻을 읽고, 알맞은 낱말을 보기 에서 찾아 빈칸에 쓰세요.

보기   감각적   정직   밑천

어떤 일을 처음 시작할 때 바탕이 되는 돈이나 물건.

감각을 자극하는 것.

거짓이나 꾸밈이 없이 마음이 바르고 곧음.

수학 보기 의 낱말 뜻을 읽고, 바른 문장이 되도록 알맞은 낱말을 찾아 선으로 이으세요.

보기
• 금액(金 돈 금 額 수량 액): 돈의 액수.
• 가격(價 값 가 格 격식 격): 물건의 가치를 돈으로 나타낸 것.

지혜네 가족은 고아원에 매달 일정한 (   )을 기부하고 있다.

백화점에서 파는 냉장고의 (   )이 비쌌다.

세뱃돈으로 받은 (   )이 모두 얼마인지 계산해 보았다.

금액

가격

4
주

[📖 사회] 낱말을 읽고, 알맞은 뜻을 찾아 선으로 이으세요.

| 유출 | • | • | 어떤 일을 하는 데 드는 돈. |

| 무전기 | • | • | 무너뜨리거나 깨뜨려 못 쓰게 만드는 것. |

| 훼손 | • | • | 중요한 것이 밖으로 빠져나가는 것. |

| 비용 | • | • | 전깃줄 없이 전화를 할 수 있는 기계. |

[📖 사회] 글을 읽고, 바른 문장이 되도록 알맞은 낱말을 [보기]에서 찾아 빈칸에 쓰세요.

| 보기 | 구성원   연락했다   입양   접속   협약 |

① 우리 팀의 [   ]은 나, 민지, 효진이, 지후다.

② 엄마는 돈을 보내기 위해 은행 홈페이지에 [   ]했다.

③ 진주네 부모님은 아주 귀여운 아기를 [   ]했다.

④ 두 나라는 환경 보호를 위한 [   ]을 맺었다.

⑤ 진서는 숙제를 같이하자고 윤지에게 [   ].

＊'협약'은 '서로 의논하여 맺은 약속'을 뜻해요.

[과학] 글을 읽고, 바른 문장이 되도록 알맞은 낱말을 보기 에서 찾아 빈칸에 쓰세요.

보기   여러해살이   품종   조건   맺었다   신선하다

① 씨가 싹 트는 데 필요한 [   ]을 알아보는 실험을 했다.

② 개나리는 여러 해 동안 죽지 않고 살아가는 [   ] 식물이다.

③ 감나무가 감을 주렁주렁 [   ].

④ 삼촌은 새로운 식량의 [   ]을 개발하는 과학자이다.

⑤ 산에는 나무가 많아 공기가 [   ].

＊'여러해살이'는 '식물이 2년 이상 살아가는 일'을, '품종'은 '같은 종의 생물을 그 특성에 따라 나눈 단위'를, '조건'은 '어떤 일을 이루게 하기 위하여 미리 갖추어야 할 상태나 요소'를 뜻해요.

[과학] 낱말을 읽고, 알맞은 뜻을 찾아 선으로 이으세요.

자연재해 •

장비 •

한살이 •

• 동물이나 식물이 태어나서 죽을 때까지 살아가는 모습.

• 어떤 일을 하기 위해 갖추어야 할 물건이나 시설.

• 태풍, 가뭄, 홍수, 지진, 화산 폭발 등의 피할 수 없는 자연 현상으로 인해 받는 피해.

'단사표음'에 대한 글을 읽고, 물음에 답하세요.

단사표음(簞食瓢飮)

'단사표음(簞食瓢飮)'은 '簞(소쿠리 **단**)', '食(먹이 **사**)', '瓢(바가지 **표**)', '飮(마실 **음**)' 자를 써서, '대나무로 만든 밥그릇에 담은 밥과 표주박에 든 물'이라는 뜻이에요. 이 말은 공자가 제자 안회를 가리켜 했던 말이지요. 공자에게는 많은 제자가 있었는데, 그중에서 안회는 공자가 가장 사랑했던 제자였어요. 안회는 똑똑하고 공부하는 것을 매우 좋아했지만 몹시 가난했어요. 하지만 가난은 안회가 공부하는 데에 아무런 문제가 되지 않았어요. 공자는 이런 안회를 높이 사서 이렇게 칭찬했답니다. "어질도다 안회여, 한 소쿠리의 밥과 한 표주박의 물로 누추한 곳에 산다면 다른 사람은 그 근심을 견디지 못하거늘 안회는 즐거움을 잃지 않는구나. 어질도다 안회여." 공자의 말씀 이후 단사표음은 깨끗하고 소박한 생활을 나타내는 사자성어로 쓰여요.

1. '대나무로 만든 밥그릇에 담은 밥과 표주박에 든 물'을 뜻하는 사자성어를 빈칸에 쓰세요.

<table>
<tr><td></td><td></td><td></td><td></td></tr>
</table>

2. '단사표음'의 뜻을 생각하며, '단사표음'이 들어간 짧은 글짓기를 하세요.

바른 길을 찾아라!

💡 팻말에 쓰인 낱말의 뜻을 읽고, 알맞은 낱말이 쓰인 길을 따라 줄을 그으세요.

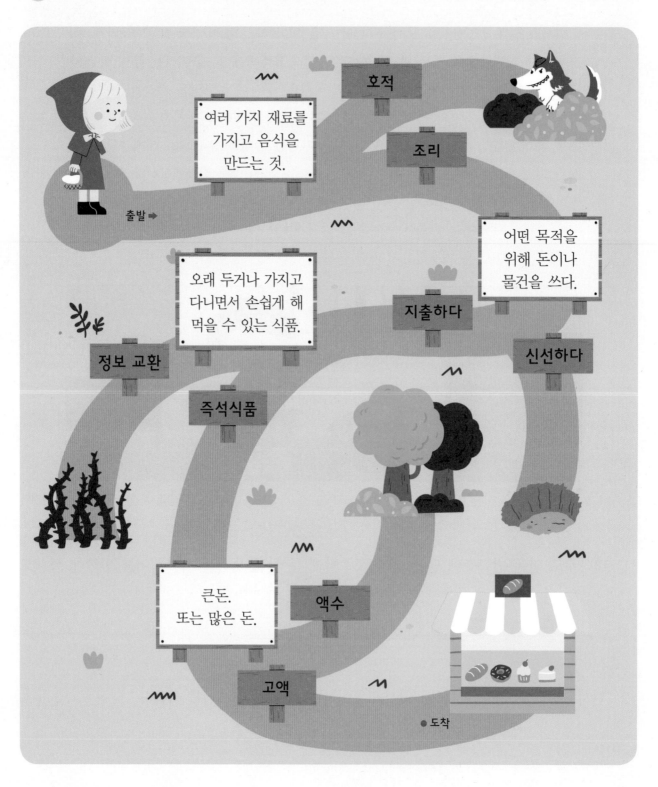

호적

여러 가지 재료를 가지고 음식을 만드는 것.

조리

출발 ➡

어떤 목적을 위해 돈이나 물건을 쓰다.

오래 두거나 가지고 다니면서 손쉽게 해 먹을 수 있는 식품.

지출하다

정보 교환

신선하다

즉석식품

큰돈. 또는 많은 돈.

액수

고액

● 도착

관심 있는 주제를 가운데 동그라미에 쓰고, 어휘들을 자유롭게 적으며 나만의 어휘 그물을 만들어 보세요.

내가 만드는 어휘 그물

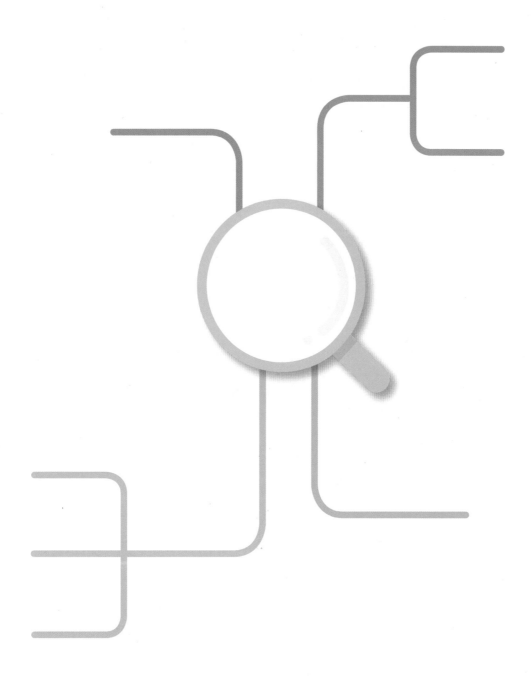

초등 교과 연계표

>> 〈1일 10분 초등 메가 어휘력〉은 초등 주요 교과에서 뽑은 어휘들과 교과 학습에 도움이 되는 어휘들로 이루어져 있습니다.

1주

일	주제	교과 및 연계 단원
1	나	**국어 4-1 ㉮** 3. 느낌을 살려 말해요 **사회 3-1** 2. 우리가 알아보는 고장 이야기 **국어 4-1 ㉯** 10. 인물의 마음을 알아봐요 **도덕 4** 3. 아름다운 사람이 되는 길
2	집	**국어 4-1 ㉮** 2. 내용을 간추려요 **사회 3-2** 2. 시대마다 다른 삶의 모습 **사회 3-1** 1. 우리 고장의 모습
3	자연환경	**국어 3-1 ㉯** 7. 반갑다, 국어사전 **과학 3-1** 5. 지구의 모습 **국어 4-1 ㉮** 4. 일에 대한 의견 **과학 4-1** 2. 지층과 화석 **사회 3-1** 2. 우리가 알아보는 고장 이야기
4	전통 음식	**국어 3-1 ㉮** 2. 문단의 짜임 **도덕 3** 5. 함께 지키는 행복한 세상 **국어 3-1 ㉯** 7. 반갑다, 국어사전
5	어휘 복습	**국어 3-2 ㉮** 4. 감동을 나타내요 **사회 3-2** 1. 환경에 따라 다른 삶의 모습 **수학 3-1** 5. 길이와 시간 **사회 3-2** 2. 시대마다 다른 삶의 모습

2주

일	주제	교과 및 연계 단원
1	언어	**국어 3-1 ㉮** 2. 문단의 짜임 **사회 4-1** 3. 지역의 공공 기관과 주민 참여 **국어 4-1** 8. 이런 제안 어때요
2	고장	**국어 4-2 ㉯** 5. 의견이 드러나게 글을 써요 **사회 4-2** 2. 필요한 것의 생산과 교환 **사회 3-1** 2. 우리가 알아보는 고장 이야기
3	물질	**사회 3-1** 3. 교통과 통신 수단의 변화 **과학 4-1** 1. 과학자처럼 탐구해 볼까요? **과학 3-1** 2. 물질의 성질 **과학 4-2** 2. 물의 상태 변화
4	교통과 통신	**국어 3-2 ㉮** 2. 중심 생각을 찾아요 **사회 4-1** 1. 지역의 위치와 특성 **국어 4-2 ㉮** 3. 바르고 공손하게
5	어휘 복습	**국어 3-1 ㉮** 5. 중요한 내용을 적어요 **사회 4-1** 3. 지역의 공공 기관과 주민 참여 **수학 3-1** 3. 나눗셈 **과학 3-2** 1. 재미있는 나의 탐구

일	주제	교과 및 연계 단원	
1	측정	**수학 3-1** 1. 덧셈과 뺄셈 **수학 3-1** 5. 길이와 시간	**과학 3-1** 1. 과학자는 어떻게 탐구할까요?
2	지도	**국어 3-1** 🕒 7. 반갑다, 국어사전 **수학 3-1** 2. 평면도형	**사회 3-1** 1. 우리 고장의 모습 **사회 4-1** 1. 지역의 위치와 특성
3	지각	**국어 4-1** 🕒 7. 사전은 내 친구 **사회 3-1** 3. 교통과 통신 수단의 변화	**과학 4-1** 2. 지층과 화석 **과학 4-1** 4. 물체의 무게
4	가족 행사	**국어 3-1** 🕗 5. 중요한 내용을 적어요 **국어 4-1** 🕗 2. 내용을 간추려요	**도덕 4** 6. 함께 꿈꾸는 무지개 세상
5	어휘 복습	**국어 3-1** 🕗 3. 알맞은 높임 표현 **국어 4-1** 🕒 4. 일에 대한 의견 **수학 4-1** 1. 큰 수	**사회 4-1** 3. 지역의 공공 기관과 주민 참여 **과학 3-1** 5. 지구의 모습

3주

일	주제	교과 및 연계 단원	
1	가정	**국어 3-1** 🕗 1. 재미가 톡톡톡 **사회 3-2** 3. 가족의 형태와 역할 변화	**사회 4-2** 3. 사회 변화와 문화의 다양성 **도덕 3** 3. 사랑이 가득한 우리 집
2	음식	**국어 3-1** 🕗 1. 재미가 톡톡톡 **국어 3-1** 🕒 8. 의견이 있어요	**국어 3-2** 🕒 2. 중심 생각을 찾아요 **국어 4-1** 🕒 10. 인물의 마음을 알아봐요
3	절약	**국어 3-1** 🕗 2. 문단의 짜임 **국어 3-1** 🕗 5. 중요한 내용을 적어요	**사회 4-1** 3. 지역의 공공 기관과 주민 참여 **도덕 3** 4. 아껴 쓰는 우리
4	의사소통	**국어 3-1** 🕗 4. 내 마음을 편지에 담아 **사회 3-1** 3. 교통과 통신 수단의 변화	**사회 4-2** 2. 필요한 것의 생산과 교환
5	어휘 복습	**국어 4-2** 🕒 9. 감동을 나누며 읽어요 **수학 4-1** 1. 큰 수	**사회 3-1** 2. 우리가 알아보는 고장 이야기 **과학 4-1** 3. 식물의 한살이

4주

1일

📖 8~9쪽　📖 10~11쪽

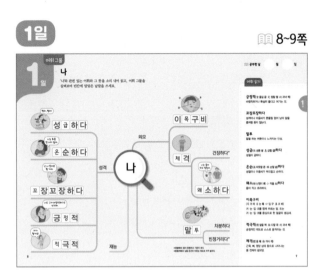

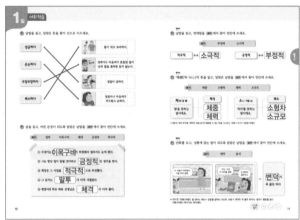

2일

📖 12~13쪽　📖 14~15쪽

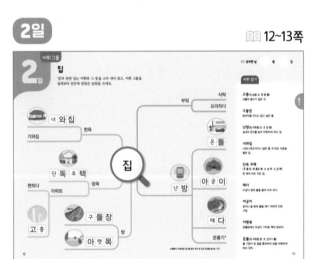

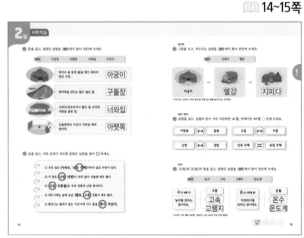

3일

📖 16~17쪽　📖 18~19쪽

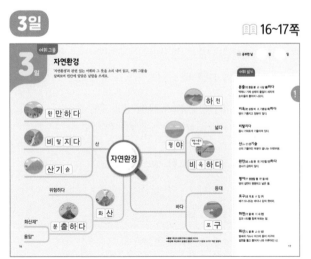

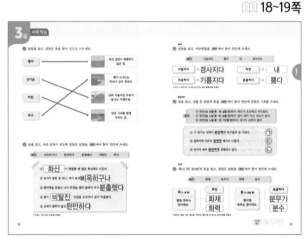

4일

📖 20~21쪽

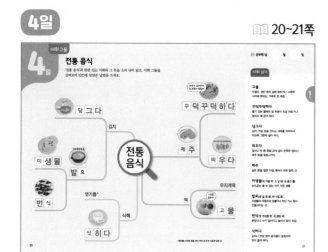

📖 22~23쪽

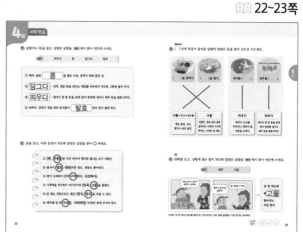

5일

📖 24~25쪽

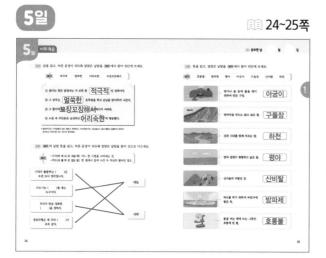

📖 26~27쪽

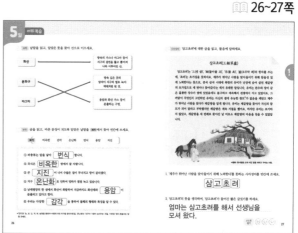

📖 28쪽

1일

📖 32~33쪽

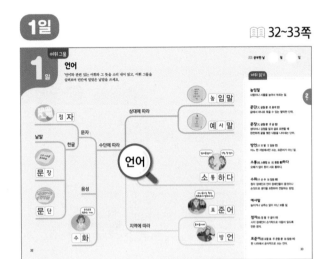

📖 34~35쪽

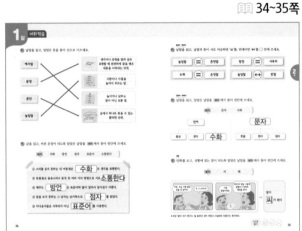

2일

📖 36~37쪽

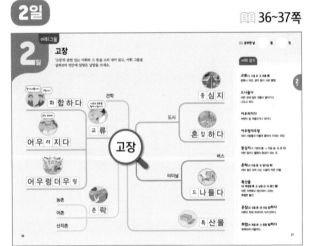

📖 38~39쪽

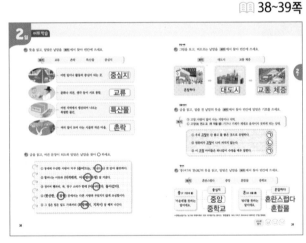

3일

📖 40~41쪽

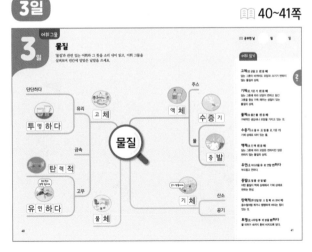

📖 42~43쪽

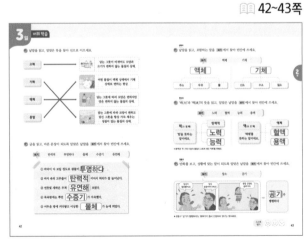

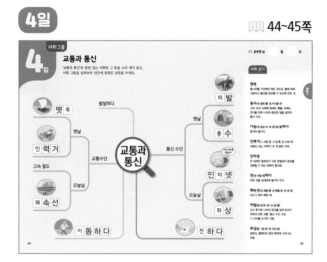

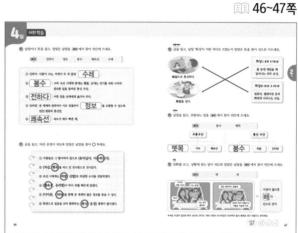

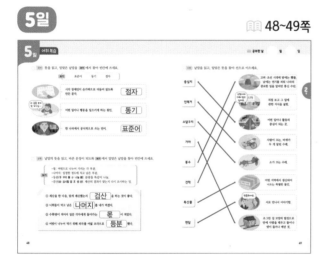

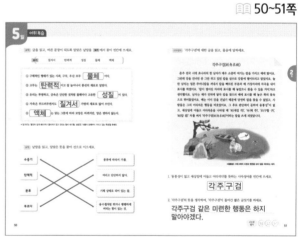

1일

📖 56~57쪽

📖 58~59쪽

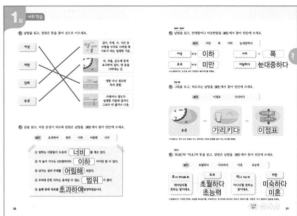

2일

📖 60~61쪽

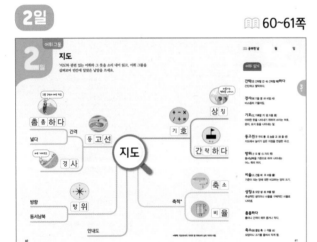

📖 62~63쪽

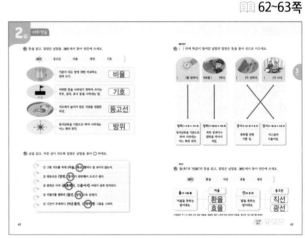

3일

📖 64~65쪽

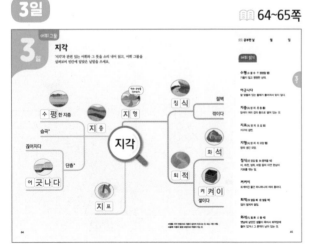

📖 66~67쪽

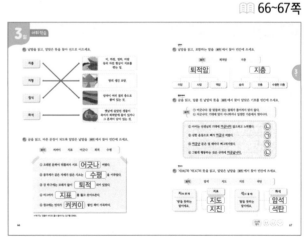

4일

📖 68~69쪽

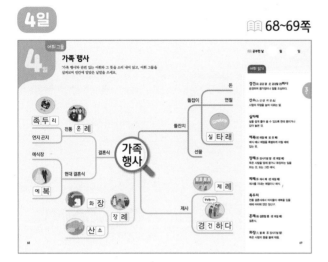

📖 70~71쪽

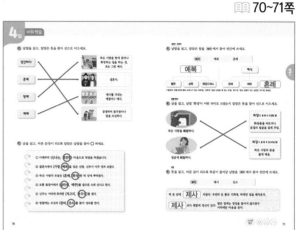

5일

📖 72~73쪽

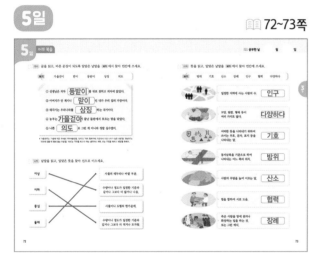

📖 74~75쪽

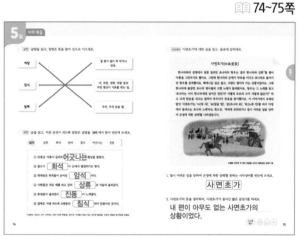

📖 76쪽

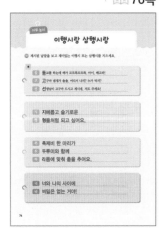

1일

📖 80~81쪽 📖 82~83쪽

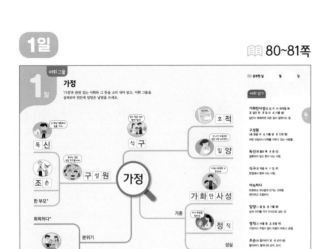
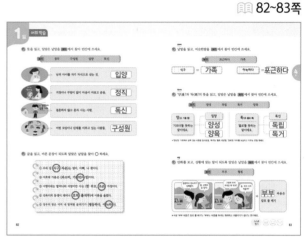

2일

📖 84~85쪽 📖 86~87쪽

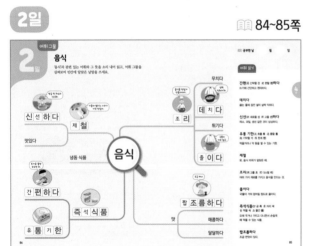
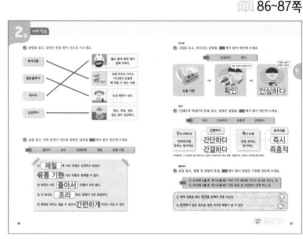

3일

📖 88~89쪽 📖 90~91쪽

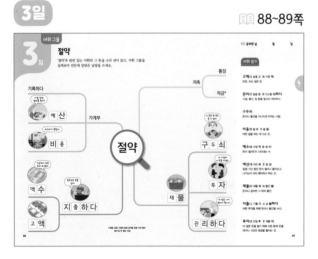
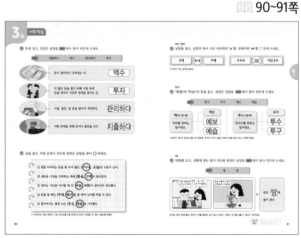

4일

📖 92~93쪽

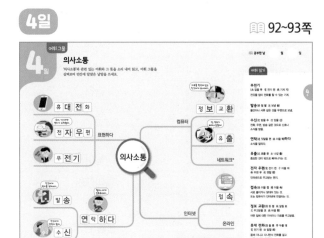

📖 94~95쪽

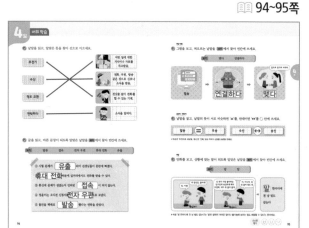

5일

📖 96~97쪽

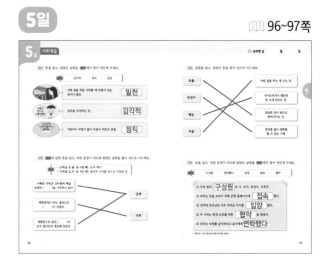

📖 98~99쪽

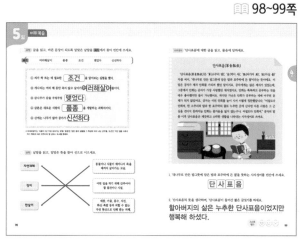

📖 100쪽

초등 메가 어휘력 어휘 주제표

예비 초등

구분	1권	2권	3권
1주	나	동물	신체
	가족	식물	얼굴
	유치원	음악	감정
	친구	미술	식사
2주	옷	일기 예보	운동회
	건강	무더위	놀이
	생활 도구	바다	놀이공원
	우리 동네	눈	여행
3주	건강한 생활	농장	운동 경기
	병원	농부	교통
	청소	직업	안전
	집	이웃	시간
4주	봄	명절	하루
	여름	예절	일기
	가을	우리나라	학교
	겨울	세계	옛이야기

초등

구분	초등 1~2학년			초등 3~4학년		
	1권	2권	3권	4권	5권	6권
1주	나	동물	방학	나	문학	한글
	가족	식물	편지	집	민주주의	일
	학교	곤충	공연	자연환경	날씨	공공 기관
	친구	질병	체험	전통 음식	문화유산	회의
2주	예절	시간	도서관	언어	시	쓰레기
	우리 동네	옛날	박물관	고장	명절	갯벌
	명절	환경	공룡	물질	환경 오염	자연재해
	우리나라	우주	자동차	교통과 통신	소설	전쟁
3주	성격과 감정	도구	바느질	측정	감각	물체
	우정	음악	요리	지도	경제	자석
	대화	미술	반려동물	지각	희곡	달
	친척	세계	장마	가족 행사	우주	과학자
4주	봄	농사	물놀이	가정	위인	여가
	여름	조상	자전거	음식	전통	배
	가을	작은 동물	낚시	절약	국가	교통사고
	겨울	화재	등산	의사소통	올림픽	에너지

개념부터 실전까지 실력을 탄탄하게!

메가스터디 중학수학 시리즈

전 학년 1, 2학기(6종)

쉬운 기초 개념학습서

메가스터디 중학수학 1일 1개념

- 10종 교과서를 분석, 반영한 필수 개념과 문제 수록
- 부담 없는 하루 1장으로 중학수학 기초 개념 완성
- 자세하고 친절한 정오답 해설

탄탄한 개념기본서

메가스터디 중학수학

- 꼼꼼하고 자세한 개념 설명
- 개념 확인 문제와 개념 적용, 응용 문제로 실력 완성
- 단계별 서술형 학습으로 해결법 완벽 마스터

실력업 문제기본서

메가스터디 CPR

- 수학 유형 3단계로 완벽 마스터
- 다양한 유형으로 모든 문항 정복
- 신유형, 창의력 문제로 수학 실력 완성
- 일반적인 풀이 외 더 빠르고 간단한 풀이 제시